¡REUNIÓN!

(CANCIONERO PARA ULTREYAS Y OTRAS ASAMBLEAS CRISTIANAS)

COMPILIDO Y REDACTADO POR
MIKE MIRABELLA

PRÓLOGO POR
Fr. J. PATRICK MAITREJEAN

PUBLICACIÓN

Editor general - Mike Mirabella

Información de venta de libros, cintas cassettes:

SONGS AND CREATIONS, INC.
P.O. Box 7
San Anselmo, CA 94960

Tele: (415) 457-6610
Fuera de CA: (800) 227-2188

Nuestra gratitud a todos los compositores y
editores cuyas obras se encuentran en este libro.
Si inadvertidamente hemos omitido un copyright,
por favor, escríbanos y lo rectificaremos.

Mil gracias a todos quienes me apoyaron y contribuyeron en este cancionero:

Fr. J. Patrick Maitrejean
Fr. Ricardo Francés
Yohann Anderson
C.G. Heimerdinger
Brooke Shopbell
Barbara Ford Anderson
Jesús Melgoza
Robert Swenson
Bob Burleson
Wendy Headley
Julio Ramírez
Habacuc Ramos

Typesetting: Fonts Ahead, Forest Knolls, CA

Printing: Griffin Printing, Glendale, CA

PRÓLOGO

"Ahora bien, hay diversidad de dones, mas el Espíritu es el mismo; hay
diversidades de ministerios, mas el Señor es el mismo; y hay diversidades
de operaciones, mas el mismo Dios es él que obra todas las cosas en todos."

I Corintios 12:4-6

Alabar al Señor con cánticos y canciones es parte fundamental de
nuestra vida cristiana. Para que esta alabanza sea auténtica tiene que brotar de
nuestras raices culturales y linguísticas. También es importante que la música
sea fiel reflejo de nuestros tiempos, de nuestras inquietudes, y de nuestra vida
coitidiana. A la vez debemos estar abiertas a la música del pasado y de otras
culturas.

Mike Mirabella ha recibido un don especial del Espíritu; no solamente
el don de la música, sino también el don de apertura hacia otras culturas y
la expresión religiosa de pueblos atravez de su música de otros compositores han
enriquecido la vida de la comunidades cristianas con quien trabaja.

En este mundo framentado, marginado y alienado, desesperadamente
necesitamos puentes entre culturas, denominaciones, y grupos sociales. La
música utilizada con integridad, con pasión bien puede ser uno de esos puentes.
En ese sentido Mike Mirabella ha recibido el don de la música para la operación
de construcción de puentes de amistad y entendimiento para la gloria de Dios.

Padre Patrick Maitrejean Sandoval
Presidente Comisión Hispánica,
Dioceses de California - Iglesia
Episcopal. 1984
Vicario - Misión de Cristo Nuestro
Señor.

ESTIMADOS AMIGOS:

Imaginen su comunidad sin la música. Imaginen una reunión, una procesión, una misa; la Iglesia sin música. Yo no puedo. De la antigua Iglesia, hasta hoy día, los cristianos hemos alabado a Dios en varios modos de cantar. San Pablo conocía el poder de cantos sagrados. El no solamente estimuló a la Iglesia primitiva a cantar albanzas a Dios, más expusó que, los que tenían la habilidad de la música y estaban inspirados por el Espíritu Santo, tenía la obligación de compartir su oblación con la comunidad.

"Háblense unos a otros con salmos, himnos
y cantos espirituales, y canten y alaben
de todo corazón al Señor..."
                    Efesios 5 :19
                    Colosenses 3 :16

Esta compilación de canciones es mi oblación a ustedes; mis hermanos y hermanas que se juntan para compartir sus cánticos en el nombre de Cristo. He compilado unas canciones favoritas; folklóricas, evangélicas, populares y poco conocidas. No les pretendo ofrecer un cancionero completo o perfecto.

Es mi esperanza que esta semilla crecerá con la ayuda de Dios y con su crítica y contribuciones.

"Dios, que da la semilla que siembra y el
alimento que se come, les dará a ustedes
todo lo necesario para su siembra, y la
hará crecer, y hará que la generosidad
de ustedes produzca una gran cosecha."
                    2 Corintios 9:10

Paz en Cristo,

Mitle Mirabella

a mi esposa,

Pamela

INDICES ALFABETICO DE TONADOS

GUITARRISTAS

Por fin un método de la guitarra española para los principiantes.

La explicación:

Un pentágrama de seis lineas que representan las cuerdas. La cuerda más delgada es 1.

One staff of six lines represents the strings. The thinnest string is 1.

Las letras indican los dedos de la mano derecha.

The letters indicate the fingers of the right hand.

Las flechas verticales ↑↓ cruzando el pentágrama indican golpes en las cuerdas.

The straight arrows ↑↓ represent a brush across the strings with the backs of the nails or thumb.

De vez en cuando, se puede tocar dos cuerdas juntas con dedo y pulgar.

From time to time you may want to play two strings at once; a finger and thumb.

El Rasqueado

Cierre la mano derecha.
Ponga el pulgar encima
de la cuerda 6. Deslice
los dedos para abajo empezando
con el dedo meñique.
(muñ. a mi i)

The Roll

First, close the fingers
of the right hand. Place
the thumb on the 6th string.
Then, beginning with the
pinky finger, unroll them
successively over the strings
with the back of the nails.
You should hear them all evenly.

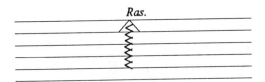

En el estilo huapango se
fija un golpe. Se hace
así. Golpee las cuerdas con la parte
posterior de las uñas (m· a)
hacia abajo, dejando sonar las
cuerdas. De repente, pare
el sonido con la palma de la
mano. Oirá el golpe.

In the huapango style, you will
hear a chop sound. Strum down
with the middle and ring fingers
letting the strings ring out.
Quickly place the flat of your
hand across all sounding strings.
You will hear a chop sound.

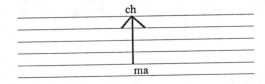

* Nota: Fije que los acordes están escritos en forma latina y norteamericana.
Ponga una linea en tinta roja debajo de la forma conocida.

RITMOS SENCILLOS
(Simple Rhythms)

Cada tonada está identificada por un número. Hay trece ritmos que usted puede encontrar a continuación. Sugiero éstos si usted es músico principiante.

Over each of the songs there is written a number. You will find the corresponding rhythm below. I suggest these if you are a beginning player.

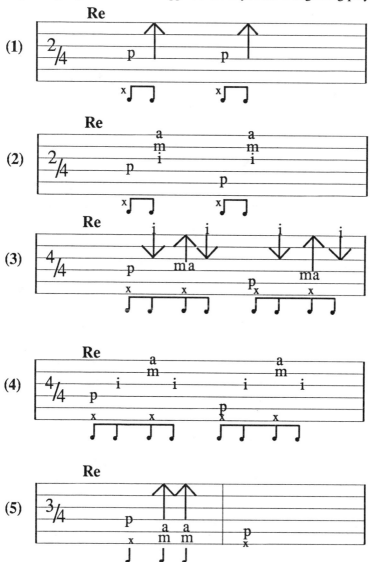

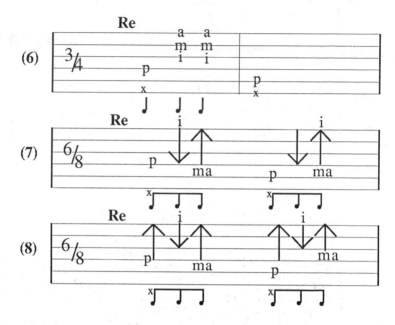

¡RITMOS MÀS AVANZADOS!
(More Advanced Rhythms)

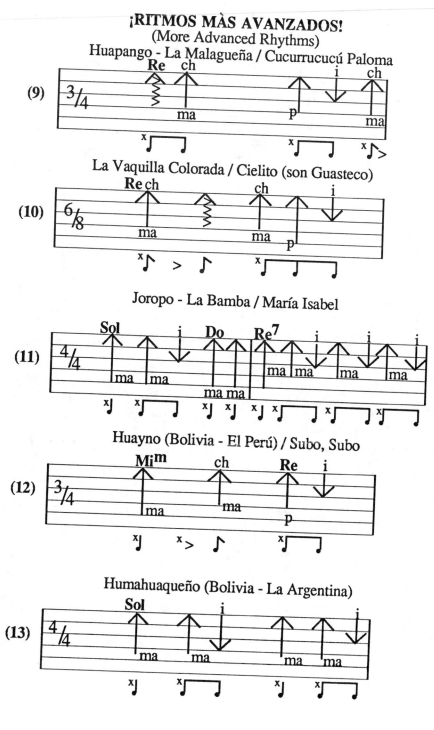

Huapango - La Malagueña / Cucurrucucú Paloma

La Vaquilla Colorada / Cielito (son Guasteco)

Joropo - La Bamba / María Isabel

Huayno (Bolivia - El Perú) / Subo, Subo

Humahuaqueño (Bolivia - La Argentina)

© Stephen Abramson   1975

"Hermanos, en el nombre de nuestro Señor Jesucristo les ruego que se pongan de acuerdo y no estén divididos. Vivan en armonía, pensando y sintiendo de la misma manera . . ."

I Corintios 1:10

El temo central por la primavera, la vida y los Cursillos en Cristiandad.

1. *Re(D) La⁷(A7) Re(D)*
   De---- colores, de colores

   se visten los campos en

   La⁷(A7)
   la primavera.

   De---- colores, de colores

   son los pajarillos que
   Re(D)
   vienen de fuera.
   Re(D) La⁷(A7) Re(D)
   De---- colores, de colores
   Re⁷(D7)
   es el arco iris que
   Sol(G)
   vemos lucir.

CORO:

   Sol(G)   La⁷(A7)
   Y por eso los grandes

   Re(D)   Si^m7(Bm7)
   amores de muchos

   Mi^m(Em)   La⁷(A7)
   colores me gustan

   Re(D) Re⁷(D7)
   a mi. (bis)

2. De colores, de colores
   brillantes y finos se viste la
   aurora.
   De colores, de colores son los
   mil reflejos que el sol
   atesora.
   De colores, de colores se viste
   el diamante que vemos lucir.

CORO

3. Jubilosos, jubilosos vivamos
   en gracia y porque se puede.
   Saciaremos, saciaremos la sed
   ardorosa del Rey que no
   muere.

Jubilosos, jubilosos
llevemos a Cristo un
alma y mil más.

Difundiendo la luz que
ilumina la gracia divina
del gran ideal. (bis)

4. Canta el gallo, canta
   el gallo con el quí rí,
   quí rí, quí rí, quí rí.
   La gallina, la gallina con
   el cará, cará, cará, cará,
   cará.
   Los pollitos, los pollitos
   con el pío, pío, pío, pío,
   pí.

CORO

OF THE COLORS
Words: M. Mirabella
*The theme song for Spring, Life and Cursillos
en Cristiandad.*

De colores, de colores are fields,
And the colors of spring so adorning.
De colores, de colores are birds,
and the songs that they sing in the morning.
De colores, de colores the rainbow
That shines for the whole world to see.

REFRAIN:

All the sounds and the colors around me;
The love that abounds in me, tells me
I'm free. (REPEAT)

English ©1986 M. Mirabella

Mi(E)
Te vengo a decir, te vengo a
Si⁷(B7)
decir, oh, mi Salvador,

Que te amo a tí, que te amo a
Mi(E)
tí, con el corazón.

Te vengo a decir, te vengo a
La(A)
decir, toda la verdad;
Mi(E)
que te amo Señor, te quiero
Si⁷(B7)   *Mi(E)*
Señor, con el corazón.
Si⁷(B7)
Yo quiero cantar, yo quiero
La(A)   *Mi(E)*
cantar, de gozo y de paz.
Si⁷(B7)
Yo quiero llorar, yo quiero llorar,
Mi(E)
de felicidad.

Te vengo a decir, te vengo a
Mi(E7)   *La(A)*
decir, toda la verdad;

Mi(E)
que te amo Señor, te quiero
Si⁷(B7)   *Mi(E)*
Señor, con el corazón.

Te vengo a pedir, te vengo a
pedir, Oh Madre de Dios,
que ruegues por mí, que
ruegues por mí a nuestro
Señor.
Te vengo a pedir, te vengo a
pedir por tu intercesión.
Amar como tú, llevar a Jesús
en mi corazón.

Yo quiero crecer, yo quiero
crecer en fe, oración;
Yo quiero vivir, yo quiero
vivir la vida de Dios.
Te vengo a pedir, te vengo a
pedir por tu intercesión,
amar como tú, llevar a Jesús
en mi corazón.

I COME TO TELL YOU

I come to tell you, oh, my Savior,
that I love you with all my heart.

━━━━━━ **KUM BA YA (4)** ━━━━━━
(Cum by H'yar)

Do(C)   *Fa(F)*   *Do(C)*
1. Kum ba ya, Señor, kum ba   ya.
Mi^m(Em)   *Fa(F)*   *Sol⁷(G7)*
Kum ba ya, Señor, kum ba   ya.
Do(C)   *Fa(F)*   *Do(C)*
Kum ba ya, Señor, kum, ba ya.
Fa(F)   *Do(C)Sol(G)* *Do(C)*
Qué divino, kum ba ya.

2. Alguien llora, Dios, kum ba
ya. (tres)
Qué divino, kum ba ya.

3. Alguien reza, Dios, kum ba
ya.   (tres)
Qué divino, kum ba ya.

4. Alguien juega, Dios, kum ba
ya. (tres)

Qué divino, kum ba ya.

5. Alguien baila, Dios, kum
ba ya. (tres)
Qué divino, kum ba ya.

KUM BA YA
(Cum By H'yar)

Kum ba yah, my Lord, Kum ba yah.
Kum ba yah, my Lord, Kum ba yah.
Kum ba yah, my Lord, Kum ba yah.
Oh, Lord, Kum ba yah.

Someone's singing, Lord, Kum ba yah.
Someone's crying, Lord, Kum ba yah.
Someone's praying, Lord, Kum ba yah.
Come by here, my Lord, Kum ba yah.

YO TENGO GOZO, GOZO, GOZO, GOZO (1)
(I Have That Joy, Joy, Joy, Joy)

La(A)
Yo tengo gozo, gozo, gozo, gozo
en mi corazón,
Mi⁷(E7)   La(A)
en mi corazón, en mi corazón.

Yo tengo gozo, gozo, gozo, gozo
en mi corazón,
         Mi⁷(E7)   La(A)
Porque Cristo me salvó.

2.   Cristo.

3.   Paz.

4.   Amor.

I Have That Joy, Joy, Joy, Joy

I have that joy, joy, joy, joy down in my
heart, down in my heart, down in my heart..

I have that joy, joy, joy, joy down in my
heart, because Jesus Christ saved me..

JUNTO A TÍ, MI BUEN SEÑOR (4)
(Just a Closer Walk With Thee)

Sol(G)   Re⁷(D7)
Te preciso, mi Señor, te
              Sol(G)
reclama el corazón.
Sol7(G7)   Do(C)
Ven y muéstrame tu amor,
         Sol(G)   Re⁷(D7)
Quiero ser yo también
         Sol(G)
bendición.

CORO:

Junto a tí, mi buen Señor,
Quiero andar, mi Salvador.
Día a día guíame,
Oyeme, buen Señor, óyeme.

Yo soy débil mi Señor, dame
fortaleza hoy.
Pués seguro yo estaré, si tú vas
junto a mí, Salvador.

CORO:
Habla claro, mi Señor, quiero oir
tu dulce voz. Y saber que quieres
tú, Háblame, lléname, tómame.
CORO:

**JUST A CLOSER WALK
WITH THEE**

CHORUS:

Just a closer walk with Thee
Grant it Jesus if you please
Daily walking close to Thee,
Let it be, dear Lord, let it be.

1.   I am weak, but Thou art strong.
      Jesus, keep me from all wrong.
      I'll be satisfied as long
      As I walk, let me walk, close to Thee.

2.   Through the days of toil that's near.
      If I fall, dear Lord, who cares,
      Who with me my burden shares?
      Only Thee, dear Lord, only Thee.

3.   When my troubled life is o'er
      Time for me will be no more
      Then guide me gently, safely on,
      To Thy shore, dear Lord, to Thy
      shore.

Do(C)
A todo el mundo, ama Dios,
Sol⁷(G7)
A todo el mundo, ama Dios,
Do(C)
A todo el mundo, ama Dios,
Sol⁷(G7)   *Do(C)*
A todo el mundo, ama Dios.

2. La lluvia y el viento,
   ama Dios
3. Al pecador, ama Dios...
4. A tí y a mí, nos ama
   Dios...
5. A todos los niños, ama
   Dios...

HE'S GOT THE WHOLE WORLD IN HIS HANDS

1. He's got the whole world in His hands
   (Four times)
2. He's got the wind and rain in His hands
   (Three times)
   He's got the whole world in His hands.
3. He's got you and me, brother, in His hands
   He's got you and me, sister, in His hands
   He's got you and me brother, in His hands
   He's got the whole world in His hands.
4. He's got the little bitty baby in His hands (Three times)
   He's got the whole world in His hands.
5. He's got everybody here in His hands (Three times)
   He's got the whole world in His hands.

ALELUYA (4)

Sol(G)   *Do(C)*
A-le-lu-ya, A-le-lu-ya,
Re⁷(D7)   *Sol(G)*
A-le-lu-ya, A-le-lu-ya,
Do(C)
A-le-lu-ya, A-le-lu-ya,
Re⁷(D7)   *Sol(G)*
A-le-lu-ya, A-le-lu-ya.

1. Yo te amo...
2. Te alabo...
3. El es digno...

4. Jesús vive...
5. Padre mío.

ALLELUIA

1. Al-le-lu-ia, Al-le-lu-ia, A-le-lu-ia
   Al-le-lu-ia, Al-le-lu-ia, A-le-lu-ia
   Al-le-lu-ia, Al-le-lu-ia
2. Love my Savior
3. I will Praise Him

BENDITO (3)

Mi(E)   *Si⁷(B7)*
Bendito, bendito, bendito sea
Mi(E)
Dios.
La(A)   *Mi(E)*   *Si⁷(B7)*
Los ángeles cantan y alaban a
Mi(E)
Dios.
La(A)   *Mi(E)*   *Si⁷(B7)*
Los ángeles cantan y alaban a
Mi(E)
Dios.

1. Yo creo, Dios mío, que estás
   en el altar
   Oculto en la hostia Te vengo
   a adorar, (bis)

2. Adoro en la hostia, el cuerpo
   de Jesús.
   Su sangre preciosa que dió
   por mí en la cruz. (bis)
3. Jesús de mi alma, te doy mi
   corazón, en cambio te pido,
   me des tu bendición. (bis)
4. Yo te amo, Dios mio, de todo
   corazón.
   Detesto mis culpas, Te pido
   perdón. (bis)
5. Espero, Dios mío, de tu suma
   bondad. Poder recibirte con fe
   y caridad. (bis)

Mi(E)
¡A edificar el templo, a edificar el

templo, a edificar
Si⁷(B7)
el templo del Señor!

¡Hermano, ven ayúdame!

¡Hermana, ven ayúdame!

¡A edificar el templo del
Mi(E)
Señor!

¡Yo soy el templo, yo soy el
templo,
Si⁷(B7)
yo soy el templo del Señor!

¡Hermano, ven ayúdame!
¡Hermana, ven ayúdame!
¡A edificar el templo del
Mi(E)
Señor!
¡Tú eres el templo, tú eres el
templo, tú eres el templo del
Señor!
¡Hermano, ven ayúdame!
¡Hermana, ven ayúdame!
¡A edificar el templo del
Señor!
¡Somos el templo, somos el
templo,
somos el templo del Señor!
¡Hermano, ven ayúdame!
¡Hermana, ven ayúdame!
¡A edificar el templo del
Señor!

——— ¿VISTE TU? (4) ———
Letra: Arnoldo Canclini

Do(C)   Sol⁷(G7)
1. ¿Viste tú cuando en la cruz
Do(C)
murió?

Fa(F)   Do(C)
¿Viste tú cuando en la cruz
Sol⁷(G7)
murió?
CORO:
Do(C)   Fa(F)Do(C)
Oh! Hay veces que al
La^m(Am)Fa(F)
pensarlo   tiemblo, tiemblo,
Sol⁷(G7) Do(C) Fa(F)Do(C)
tiemblo. ¿Viste tú cuando
Fa(F) Sol⁷(G7)   Do(C)
en la cruz murió?

2. ¿Viste tú cuando expiró allí?
(tres)
CORO:
3. ¿Viste tú cuando enterrado
fue?
CORO:
4. ¿Viste tú cuando él resucitó?
(tres)

CORO:
(Mi presencia irá contigo..Ex 33:14)

WHERE YOU THERE?
1. Were you there when they crucified my Lord? (Were you there?) Were you there when they crucified my Lord? (Were you there?)
REFRAIN: Oh, Oh, Oh, Oh. Sometimes it causes me to tremble, tremble, tremble. Where you there when they crucified my Lord?
2. Were you there when they nailed Him to the tree? (Were you there?) (Repeat) Oh, Oh, Oh, Oh...
3. Were you there when they laid Him in the tomb? (Were you there?) (Repeat) Oh, Oh, Oh, Oh...
4. Were you there when He rose up from the grave? (Were you there?) (Repeat) Oh, Oh, Oh, Oh,
REFRAIN: Oh, Oh, Oh, Oh. Sometimes I feel like shouting, Glory, Glory, Glory. Were you there when He rose up from the grave?

Mi^m(Em)   *Re(D)*   *Mi^m(Em)Si^7(B7)*
Amor,   amor,   amor,   amor;

 Mi^m(Em)   *Re(D)*   *Do(C)*   *Si^7(B7)*
nuestro   Cristo   es   amor.

Mi^m(Em)   *Re(D)*   *Do(C)*   *Si^7(B7)*
Ama   a   todos   como   hermanos:

 Mi^m(Em)   *Re(D)*   *Mi^m(Em)*
Dios   es   amor.

> ### LOVE, LOVE
>
> Love, love, love, love
>
> *Believers, this is your call;
>
> Love your neighbor as yourself
>
> For God loves all.
>
> *(or Christians or Christ-ones)

━━━━━━━━━━━ ALABARÉ (3) ━━━━━━━

CORO

  Mi(E)
Alabaré, (eco) alabaré, (eco)
Si^7(B7)   *Mi(E)*
alabaré a mi   Señor. (bis)

   Mi(E)
1. Juan vió el número de los
redimidos y todos alaban al
   Si^7(B7)
Señor.

Unos oraban, otros cantaban

            Mi(E)
y todos alababan al Señor.

2. Todos unidos, alegres
cantamos gloria y
alabanzas al Señor.
Gloria al Padre, gloria
al Hijo y gloria al
Espíritu de amor.

3. Somos tus hijos, Dios
Padre eterno;
Tú nos has creado por
amor.
Te adoramos, te
bendecimos y todos
cantamos en tú honor.

━━━━━━ HE DECIDIDO SEGUIR A CRISTO (1) ━━━━━

Do(C)
He decidido seguir a Cristo,
    Fa(F)   *Do(C)*
He decidido seguir a Cristo,

He decidido seguir a Cristo,
       Sol(G)
¡No vuelvo atrás! ¡No vuelvo
 Do(C)
atrás!

Detrás el mundo, la cruz delante,
Detrás el mundo, la cruz delante,
Detrás el mundo, la cruz delante,
¡No vuelvo atrás! ¡No vuelvo
atrás!

La vida eterna, la da Cristo,
La vida eterna, la da Cristo,
La vida eterna, la da Cristo,
¡No vuelvo atrás! No vuelvo
atrás!

> ### I HAVE DECIDED TO FOLLOW JESUS
> (Traditional)
>
> 1. I have decided to follow Jesus
> I have decided to follow Jesus
> I have decided to follow IJesus
> No turnin' back, no turnin' back!
> 2. Tho' I may wander, still I will follow
> (Repeat)
> No lookin' back, no lookin' back!
> 3. The world around me, The Lord before
> me
> (Repeat)
> I'm, movin' on, I'm movin on!

(Michael)

$Do(C)$ $Fa(F)$ $Do(C)$

1. El Señor resuci-----tó,

    $Fa(F)$ $Do(C)$
¡Alelu--------ya!

       $Mi^m(Em)$ $Re^{m7}(Dm7)$
Nuestra vida iluminó.

   $Sol^7(G7)$ $Do(C)$
¡Alelu--------ya!

2. Por el Padre que amó,
¡Aleluya!
Por el Hijo triunfador:
¡Aleluya!

3. Al pecado y al dolor:
¡Aleluya!
Ya la muerte El venció:
¡Aleluya!

4. A una gran resurrección,
¡Aleluya!
Nos invita al Señor.
¡Aleluya!

5. Nueva vida, nuevo amor,
¡Aleluya!
Que harán un mundo
mejor. ¡Aleluya!

MICHAEL

CHORUS:

    Michael row the boat ashore-hallelujah
    (twice)
    Michael row the boat ashore-hallelujah

1. Sister help to trim the sail-hallelujah
Sister help to trim the sail-hallelujah

2. River Jordan is chilly and cold-hallelujah
Chills the body, not the soul-hallelujah

3. The river is deep and the river is wide-
hallelujah
Milk and honey on the other side-
hallelujah

4. Brother lend a helping hand-hallelujah
(twice)

—— EN MI VIDA SÉ GLORIFICADO (4) ——
(Lord, Be Glorified)
Bob Kilpatrick

$Do(C)$ $Sol(G)$ $La^m(Am)$ $Mi^m(Em)$ $Re^m(Dm)$ $Sol(G)$
En mi vida sé glorificado,

       $Re^m(Dm)$ $Sol(G)$
sé glorifi------cado.

$Do(C)$ $Sol(G)$ $La^m(Am)$ $Mi^m(Em)$ $Re^m(Dm)$ $Sol(G)$
En mi vida sé glorificado,

    $Do(C)$
Señor.

(casa, iglesia, corazón, etc.)

LORD BE GLORIFIED
by Bob Kilpatrick

1. In my Life Lord be glorified, be
glorified. In my Life Lord be glorified
Today.

2. In my song Lord be glorified, be
glorified. In my song Lord be glorified
Today.

3. In your church Lord be glorified, be
glorified. In my church Lord be glorified
Today.

4. Make up your own

(Pass It On)
Words and Music by Kurt Kaiser

1.
Do(C)   Mi^m(Em)
Como por una chispa puede

Fa(F)   Sol(G)   Do(C)
arder el fuego, y los de

    Mi^m(Em) Fa(F)
alrededor ya sienten su

Sol(G)
calor.

Fa(F)   Do(C)   Re^m(Dm)
Así es el amor de Dios, si

Sol(G) Do^maj7(Cmaj7) La^m(Am)
lo has palpa--------do,

Rem^7(Dm7) Do(C) Rem^7(Dm7) Do(C)
se lo cantáis a los demás,

   Fa(F)   Sol(G)   Do(C)
queréis hablar de El.

2.   Llega la primavera, los
árboles ya brotan, los
pajarillos vuelan, la flores
dan fragrancias.
Así es el amor de Dios, si
lo has palpado.
Queréis cantar de su
amor; queréis hablar de El.

3.   Deseo para tí esta felicidad.
Dependerás de El por dónde
vayas.
De las montañas gritaré,
quiero que sepan que el
Dios de amor vino hacia
mí; Yo quiero hablar de El.

PASS IT ON

Words and Music by Kurt Kaiser

1.   It only takes a spark to get a fire going,
And soon all those around can warm up
in its glowing.
That's how it is with God's love.
Once you've experienced it, you spread
His love to everyone;
You want to pass it on.

2.   What a wondrous time is spring, when
all the trees are budding;
The birds begin to sing, the flowers start
their blooming.
That's how it is with God's love;
Once you've experienced it, you want to
sing
"It's fresh like spring": you want to pass
it on.

3.   I wish for you my friend, this happiness
that I've found.
You can depend on Him, It matters not
where you're bound.
I'll shout it from the mountain top,
I want the world to know; the Lord of
love has come to me,
I want to pass it on.

JESÚS (3)

Re^m(Dm)   La^7(A7)
Jesús, Jesús, Jesús, Jesús,

    Re^m(Dm)
Jesús, Jesús;

   Sol^m(Gm)   Re^m(Dm)
Es el nombre que mi corazón ama,

       La^7(A7)
que mi lengua proclama el nombre

   Re^m(Dm)
de Jesús.

    Sol^m(Gm)
Es el nombre de un pueblo

    Re^m(Dm)   La^7(A7)
redimido que canta agradecido

    Re^m(Dm)
al nombre de Jesús. (bis)

SEÑOR, PROCLAMAMOS LA FE   (2)
(Lord, We Proclaim The Faith)

CORO:

Do(C)
Señor, proclamamos la
Sol⁷(G7)   Do(C)
fe que nos das en este
Lam(Am) Mim(Em)   Fa(F)
signo de nuestro Salvador,

Do(C)
señal de muerte y
Sol⁷(G7) Do(C)
resurrección.

Do(C)   Mim(Em)
1. La vida que vives nos

Fa(F)   Do(C)
quisiste dar,

Fa(F) Mim(Em)Lam(Am)Sol⁷(G7)
por eso tú Hi----jo nos vino

Do(C)
a salvar.

2. Tomando el vino comiendo
el pan, todos viviremos por
la eternidad.

3. Figura de Cristo la roca de
Horeb, nos da el agua
viva que calma la sed.

4. La Víctima pura está en
el altar; comamos el
nuevo cordero pascual.

5. A la fuente viva que maná
salud, vayamos alegres
vestidos de luz.

6. Gozosos busquemos el
nuevo maná, banquete
divino que el Padre nos da.

7. Aquí contemplamos el
vino y el pan;
mas es Jesucristo que vida
nos da.

CRISTO ME AMA (4)
(Jesus Loves Me)

Do(C)   Fa(F) Do(C)
Cristo me ama bien lo sé,
Rem(Dm)   Do(C) Sol⁷(G7)
Su palabra me hace ver;
Do(C)   Fa(F)
Que los niños son de aquél,
Rem(Dm)   Sol⁷(G7)
Quien es nuestro amigo   fiel.
Do(C)   Fa(F) Do(C)Rem(Dm) Do(C) Sol⁷(G7)
Aleluya ale---lú, Aleluya ale-   lú,
Do(C)   Fa(F) Do(C)Rem(Dm) Do(C) Sol⁷(G7)
Aleluya ale---lú, Aleluya ale-   lú.

CORO:

Do(C)   Fa(F)
Cristo me ama,
Do(C)   Sol⁷(G7)
Cristo me ama,
Do(C)   Fa(F)
Cristo me ama,
Do(C) Sol⁷(G7)   Do(C)
La Biblia dice   así.

2. Cristo me ama, pués, murió,
y el cielo me abrió;
Él mis culpas quitará,
y la entrada me dará.
Aleluya, alelú...
CORO:

3. Cristo me ama, es verdad,
y me cuida en su bondad;
cuando muera, si soy fiel,
viviré allá con El.
CORO:

JESUS LOVES ME
(Words: M.Mirabella)

Jesus loves me, this I know
In His Word He tells me so.
We are choldren of His hand;
Loving Father, loving friend.
Jesus loves me,
Jesus loves me,
Jesus loves me,
the Bible tells me so.

©1986 M. Mirabella

TE CANSA TÚ PESO (3)

(Al tono: Down by the Riverside)
Adaptación: A. Barriales y M. Moreno

Re(D)
Te cansa tú peso no puedes
caminar,
La⁷(A7)
no puedes caminar,
Re(D)
no puedes caminar.

Ves lejos la orilla

que quieres alcanzar,
La⁷(A7)   *Re(D)*
que quieres alcanzar.

REFRAN:
    Sol(G)
En la otra orilla están
  Re(D)
la paz y la verdad la
La⁷(A7)   *Re(D)*
vida y el amor.
       Sol(G)
Dios ha querido poner
    Re(D)
en tí todo su amor;
  La⁷(A7)   *Re(D)*
no puedes volver atrás.

Busca los caminos,
que llevan al amor. (Tres)
Ya tienes bastante

cansado el corazón. (bis)

No siembres el odio
sobre tú corazón, (tres)
deja que florezca
la espiga del amor. (bis)

DOWN BY THE RIVERSIDE

1. I'm gonna lay down my sword and
   shield,
   Down by the riverside, down by the
   riverside, down by the riverside.

   I'm gonna lay down my sword and
   shield,
   Down by the riverside, down by the
   riverside.

2. I'm gonna walk with the Prince of
   Peace, etc.
3. Yes, I'm gonna shake hands around the
   world.
   (Make up your own verses)

CHORUS:

    Well, I ain't gonna study war no more,
    I ain't gonna study war no more,
    I ain't gonna study war no more.
    (Repeat chorus)

ALELÚ, ALELÚ (1)

Sol(G)   *Do(C)*   *Laᵐ(Am)*
Alelú, alelú, alelú, aleluya,

  Sol(G)   *Re(D)*
gra-----cias,

    Sol(G)
Señor. (bis)
    Sol(G)   *Laᵐ(Am)*
1. Gracias, Señor, aleluya,
    Re⁷(D7)
    gracias,
    Sol(G)
    Señor, aleluya
         Laᵐ(Am)
    gracias, Señor, aleluya,
    Re(D)   *Sol(G)*
    gracias, Señor.

ALLELU, ALLELU
(Praise, ye, the Lord)

Allelu, allelu, allelu, alleluia,
Praise, ye, the Lord. (twice)
Praise, ye, the Lord, alleluia,
Praise, ye, the Lord, alleluia,
Praise, ye, the Lord, alleluia,
Praise, ye, the Lord.

(Pardon, God)
(Música y letra: Jesús Melgoza)

En 1984, Jesús Melgoza, cantante distinguido,
ganó el cuarto premio en el "Festival de la Canción
Latinoamericana de San Francisco." Jesús asiste a
St. Anthony's Catholic church in Oakley, CA.

Do(C)   Fa(F)
Perdón, Señor, perdona mi
    Do(C)
extravío.
       Fa(F)
Perdón, Señor, ya quiero ser tú
Do(C)   Sol⁷(G7)
amigo; estoy arrepentido, perdón,
    Do(C)
Señor.
Do(C)   Sol⁷(G7)
Al pobre ví con frío y con hambre
          Do(C)
y no le dí lo que yo pude darle.
    Fa(F)
Se me olvidó lo que tú me
    Do(C)
enseñaste,
      Re^m7(Dm7)   Sol⁷(G7)
se me olvidó   lo   mucho

que me amaste.

Perdon, Señor...

No perdoné cuando me ví ofendido
en cambio, odié como cruel enemigo.
Se me olvidó lo que tú me enseñaste,
se me olvidó lo mucho que me amaste.

Perdon, Señor...

Hasta la cruz fuiste por mí pecado,
y necio aun yo sigo siendo malo,
Se me olvidó lo que tú me enseñaste,
se me olvidó lo mucho que me amaste.

Perdón, Señor...

SolG)
Da la mano a tu hermano, da la
Re⁷(D7)
mano, XX

Da la mano a tu hermano, da la
SolG)
mano. XX

    Do(C)   SolG)
Dale una buena venida, dale una

fiel sonrisa.
    Re⁷(D7)
Da la mano a tu hermano, da la
  SolG)
mano. XX

2.   un abrazo/a tu hermana
3.   cariño/a tu amigo
4.   consuelo
5.   etc.

IF YOU'RE HAPPY AND YOU KNOW IT

If you're happy and you know it, clap your hands. XX
If you're happy and you know it, clap your hands. XX
If you're happy and you know it, then your face will surely show it,
If you're happy and you know it, clap your hands. XX

(Friendship)

Mi(E)
Si una buena amistad tienes tú,
  La(A)
alaba a Dios, pues, la amistad es
  Mi(E)
un bien.
  La(A)   *Mi(E)*
Ser amigo es hacer al amigo todo

el bien,
 Si⁷(B7)   *Mi(E)*
¡Qué bueno es saber amar!
  La(A)
La amistad viene de Dios,
  Mi(E)
y a Dios debe volver.
  Si⁷(B7)   *Mi(E)*
¡Qué bueno es saber amar!

Mi(E)
Una buena amistad
   Si⁷(B7)   *Mi(E)*
es más fuerte que la muerte.
  La(A) *Laᵐ(Am)* *Mi(E)*
Y cuando uno está lejos
  Si⁷(B7)
la amistad se va volviendo más
fuerte.

La amistad es en la vida
una canción,
la amistad hace vivir el corazón.
Ser amigo es hacer el amigo todo
el bien,
¡Qué bueno es saber amar!
La amistad viene a Dios,
Y a Dios debe volver.
¡Qué bueno es saber amar!

━━━━━━ **SUBO, SUBO** ━━━━━━
(I Climb, I Climb)
(Bolivia)

 Miᵐ(Em) Re(D) Miᵐ(Em) Siᵐ(Bm) Miᵐ(Em)
Me voy a los cerros al----tos
    Re(D) Miᵐ(Em)Siᵐ(Bm) Miᵐ(Em)
a llorar a solas le------jos.
 La(A) Re(D) La(A)   Miᵐ(Em)
a ver si se apuna el dolor,
Re(D) Miᵐ(Em) Re(D) Miᵐ(Em)
su-------bo, su------bo.

La quena muy triste toco
y me habla llorando de vos.
A ver si se apuna el dolor,
subo, subo.

Los ranchos quedaron atrás,
Las nubes muy cerca están ya.
A ver si se apuna el dolor,
subo, subo.

I CLIMB, I CLIMB
Words: M. Mirabella

1. So, to the high mountains I go;
   I climb and I cry all alone.
   I'm leaving my sorrow below,
   Subo, subo.

2. My small flute so sadly I play.
   With each note I'm calling your name.
   I'm leaving my sorrow below,
   Subo, subo.

3. The farms I am leaving behind.
   The clouds ever closer, I find.
   I'm leaving my sorrow below.
   Subo, subo.

©1986 M. Mirabella

ESTA LUCECITA ES MÍA (3)
(This Little Light of Mine)
Letra: M. Mirabella

Sol(G)
Esta lucecita es mía,
      Sol⁷(G7)
y la voy a dejar lucir.

Do(C)
Esta lucecita es mía,
      Sol(G)
y la voy a dejar lucir.

Esta lucecita es mía,
  Si⁷(B7)   Miᵐ(Em)
y la voy a dejar lucir;
 Sol(G) Re⁷(D7) Sol(G)
relucir, relucir, relucir.

1. Por todas partes voy,
   y la voy a dejar...

2. Voy a buscar la paz,
   y la voy a dejar...

3. Voy a cantar a Dios,
   y la voy a dejar...

THIS LITTLE LIGHT OF MINE

This little light of mine,
I'm gonna let it shine.
This little light of mine,
I'm gonna let it shine.
This little light of mine,
I'm gonna let it shine;
Let it shine, let it shine, let it shine.
1. Every where I go,
   I'm gonna let it shine...
2. Climb the mountains high...
3. Sing my song to God...

©1986 by M. Mirabella
Papa Mike's Music

MAÑANA, MAÑANA (4)
(Tomorrow, Tomorrow)
Música & Letra: Jesús Melgoza

Do(C)
Cuantas veces me has dicho,
Señor,
  Sol⁷(G7)   Do(C)
¡Te amo! ¡Te amo!

Y otras tantas te he dicho, Señor,
  Sol⁷(G7)   Do(C)
¡Espera! ¡Espera!

CORO:
  Fa(F)
Mañana, Mañana,
  Sol⁷(G7)   Do(C)
Mañana te doy mi amor.
      Fa(F)
Mañana, Mañana,
  Sol⁷(G7)   Do(C)
Mañana te doy mi amor.

Cuantas veces me has dicho,
Señor,
¡Ven hijo! ¡Ven hijo!
Y otras tantas te he dicho,
Señor,
¡Espera! ¡Espera!

CORO

Cuantas veces me has dicho,
Señor,
¡No tardes! ¡No tardes!
Y otras tantas te he dicho,
Señor,
¡Espera! ¡Espera!

CORO

Copyright 1985 Papa Mike's Music
ASCAP
Todos los derechos reservados.

(Anónimo)

Lo que Dios quiere que hagan es que crean en aquél que El ha enviado. Jn. 6:29

Camina plácido entre el ruido y la prisa y piensa en la paz que se puede encontrar en el silencio.

En cuanto sea posible y sin rendirte,
manten buenas relaciones con todas las personas.
Anuncia tu verdad de una manera serena y clara y escucha a los demás,
incluso al torpe e ignorante, también ellos tienen su propia historia.

Esquiva a las personas ruidosas y agresivas pues son un fastidio para el espíritu.
Si te comparás a los demás, vivirás vano y amargado, pues siempre habrá personas más grandes y más pequeñas que tú.

Disfruta de tus éxitos, lo mismo que de tus planes.
Manten el interés en tú propia carrera,
por humilde que sea; ella es un verdadero tesoro en el fortuito cambiar de los tiempos.

Sé cauto en tus negocios, pues el mundo está lleno de engaños; mas no dejes que éste te deje ciego para la virtud que existe.
Hay muchas personas que se esfuerzan por alcanzar nobles ideales; la vida está llena de heroísmo.

Sé sincero contigo mismo, en especial, no finjas el afecto y no seas cínico en el amor.

Pues en medio de todas las arideces y desengaños es perenne como la yerba.
Acata dócilmente el consejo de los años, abandonando con donaire las cosas de la juventud.

Cultiva la firmeza del Espíritu, para que te protejas de las adversidades repentinas.
Muchos temores nacen de la fatiga y de la soledad.
Y sobre una sana disciplina, sé beningno contigo mismo.

Tú eres una criatura del universo, no menos que las plantas y las estrellas,
Tienes derecho a existir ya sea que te resulte claro o no indudablemente el universo marcha como debiera.

Por eso, debes estar en paz con Dios,
cualquiera que sea tú idea de El.
Y sean cualesquiera tus trabajos y aspiraciones, conserva la paz con tú alma en la bulliciosa confusión de la vida.

Aun con toda su farsa, penalidades y sueños fallidos el mundo es todavía hermoso; sé cauto
¡Esfuérzate por ser feliz!

Do(C)
Ay, Jalisco, Jalisco, Jalisco,

tú tienes tú novia que es
Sol⁷(G7)
Guadalajara.

Muchacha bonita, la perla más

rara de todo Jalisco es mí
Do(C)
Guadalajara.
Do(C)
Me gusta escuchar los

mariaches cantar con el alma
Sol⁷(G7)
sus lindas canciones; oír como

suenan esos guitarrones y

echarme un tequila con los
Do(C)
valentones.
Fa(F)   *Do(C)*
¡Ay!, Jalisco no te rajes.

Sol⁷(G7)
Me sale del alma gritar con
Do(C)   *Fa(F)*
calor, abrir todo el pecho
Do(C)
pa' echar este grito;
Sol⁷(G7)
¡Qué lindo es Jalisco! Palabra
Do(C)
de honor.

JALISCO DON'T BREAK
YOUR PROMISE
Words: M. Mirabella

Ay Jalisco, Jalisco, When I hear your name, I
remember my Guadalajara.
A beautiful lady, a peerless tiara, the Queen of
Jalisco, my Guadalajara.
How I feel like a King when the mariaches sing
from the heart, all their wonderful love songs.
The taste of tequila, the trumpets all blowing,
violins, guitars, and the big guitarrones.
Ay, Jalisco, don't deny me.
Defending your honor, I'll fight evermore.
I give you my heart; I sing out this 'grito', ¡Qué
lindo es Jalisco!
It's you I adore!

━━━ LA ADELITA (2) ━━━

La(A)   Mi⁷(E7)   La(A)
Adelita se llama la joven la
Re(D)
que yo adoro y no puedo
Mi(E)   Mi⁷(E7)
olvidar,   en el campo yo tengo
La(A)
esta rosa que con el tiempo la
Mi⁷(E7)   La(A)
voy a cortar.

Si Adelita quisiera ser mi

esposa, si Adelita fuera mi

mujer le compraría un vestido

de seda, para llevarla a bailar al

cuartel.

Si Adelita se fuera con otro
le seguiría la huella sin cesar,
si por mar en un buque de
guerra asi por tierra en un tren
militar.

Y si acaso yo muera en
campaña y si en la tierra mi
cuerpo va a quedar,
Adelita por Dios te lo ruego
que con tus ojos me vayas a
llorar.

ALLÀ EN EL RANCHO GRANDE (1) ——

(There On The Great Ranch)
Sylvan T. Ramos

CORO:

Re(D)
Allá en el rancho grande,
      La⁷(A7)
allá dónde vivía,

había una rancherita
      Re(D)
que alegre me decía

que alegre me decía:
Re(D)   *La⁷(A7)*
Te voy a hacer tus calzones

como los que usa el
    Re(D)
ranchero, te los comienzo
   La⁷(A7)
de lana, y los acabo de
Re(D)
cuero.

2. Te voy a hacer tu camisa
como la que usa el
ranchero, con el cuello a
media espalda   y las
mangas hasta el suelo.

3. El gusto de los
rancheros es usar un
buen calzado, y
ponérselo el domingo
cuando bajan al
poblado

CORO

4. El gusto de los
rancheros es tener un
buen caballo, apretarle
bien la silla y correr
luego en el llano.

5. El gusto de las
rancheras es tener un
buen comal, echarse
unas gordas largas
y gritarle al "gavilán."

CORO

6. Nunca te fíes de
promesas ni mucho
menos de amores,
que si te dan calabazas
verás lo que son
ardores.

7. Pon muy atento el
oído, cuando rechine la
puerta.
Hay muertos que no
hacen ruído y son muy
gordas sus penas.

CORO

8. Cuando te pidan
cigarro, no des cigarro
ni cerillo porque si das
las dos cosas te
tantearán de zorrillo.

CORO

Sólo él que no monta, no cae.

(Son Huapango)

This is one of the first Mexican songs I learned. I heard it on an old Tito Guizar record.
See if you can capture the soul of the huapango rhythm.

Do(C)
De domingo a domingo te
    Sol⁷(G7)
vengo a ver,

¿Cuándo será domingo, cielito
      Do(C)
lindo, para volver?
  Sol⁷(G7)   Do(C)
¡Ay, ay, ay, ay, ay,! Yo bien
  Sol⁷(G7)
quisiera que toda la semana,
          Do(C)
cielito lindo, domingo fuera,
Sol⁷(G7)   Do(C)
¡Ay, ay, ay, ay, ay!

Arbol de la esperanza, mantente
firme,
que no lloren tus ojos, cielito
lindo, al despedirme,
¡Ay, ay, ay, ay, ay! porque si
miro
lágrimas en tus ojos, cielito
lindo,

no me despido, ¡Ay, ay, ay,
ay, ay!

Si alguna duda tienes de mi
pasión,
abre con un cuchillo, cielito
lindo, mi corazón,
¡Ay, ay, ay, ay, ay! pero con
tiento
que tú no te lastimes, cielito
lindo,
que estás dentro, ¡Ay, ay, ay,
ay, ay!

Dicen que no se siente la
despedida,
Dile al quien te lo cuente,
cielito lindo, que se
despida,
¡Ay, ay, ay, ay, ay! del ser que
adora,
y verás como lo siente, cielito
lindo,
y hasta que llora, ¡Ay, ay, ay,
ay, ay!

CIELITO LINDO (6)————
(Quirindo Mendoza) (Waltz)

  La(A)   Mi(E)   La(A)
1. De la Sierra   Morena,
      Mi(E)La(A)   Mi(E)
    Cielito lindo, vienen bajando
          Mi⁷(E7)
    un par de ojito negros,
            La(A)
    Cielito lindo, de contrabando.

2. Este lunar que tienes,
    Cielito lindo, junto a la boca
    no se lo des a nadie,
    Cielito lindo, que a mí me
    toca.

La(A) La⁷(A7) Re(D) Si^m(Bm)
¡Ay, ay,   ay,   ay,
  Mi(E)   La(A)
Canta y no llores!
               Si^m(Bm)
Porque cantando se alegran
     Mi⁷(E7)   La(A)
Cielito lindo, los corazones.
(bis)

3. Pájaro que abandona,
    Cielito lindo, su primer nido,
    regresa y ya no encuentra,
    Cielito lindo, el bien perdido.

Another great song from the Mexican state of Jalisco. Sing it with GUSTO!

Sol(G)
Guadalajara en un llano
      Re⁷(D7) Sol(G)
México en una laguna. (bis)
      Do(C)
Me he de comer esa tuna,
      Sol(G)
me he de comer esa tuna,
      Re⁷(D7)
me he de comer esa tuna,
        Sol(G)
aunque me espine la mano.

Dicen que soy hombre malo;
malo y mal averigüado. (bis)
Porque me comí un durazno, (ter)
de corazón colorado.

El aguila siendo animal
se retrató en el dinero. (bis)
Para subir al nopal, (ter)
pidió permiso primero.

A buen hambre no hay pan duro.

———— MARÍA ISABEL (11) ————

Re(D)   La7(A7)
La playa estaba desierta, el mar
      Re(D)
bañaba tu piel,
        Sol(G)   Re(D)
tocando con mi guitarra para tí,
La7(A7)   Re(D)
Maria Isabel.

CORO:
    Re(D)
Coge tu sombrero y
      Sol(G)
póntelo,
        La7(A7)
vamos a la playa, calienta el
Re(D)
sol. (bis)
Re(D)
Chiriviriví pom pom pop
Sol(G)
pom.
    La7(A7)
Chiriviriví pom pom pom
Re(D)
pom. (bis)
Re(D)   La7(A7)
En la arena escribí tu nombre y
        Re(D)
luego yo lo borré para que nadie
Sol(G)   Re(D)   La7(A7) Re(D)
pisara, tu nombre María Isabel.

CORO:

    La luna fue caminando, igual
    el sol hacia el mar, tenía
    celos de tus ojos, y tu
    forma de mirar.

Maria Isabel
Words: M. Mirabella

The shoreline was deserted,
You were bathing in the sea,
I was playing on my guitar,
This happy island melody.

Chorus:
Grab your shoes, your hat, your pants,
I know a place where we can dance. (Repeat)
Chiribiribi--po, po, po, po.
Chiribiribi--po, po, po, po. (Repeat)

In the sand I wrote "I love you",
And I begin to write your name.
A little wave erased the letters,
I knew our love would fade away.

Chorus

Re(D)
Guadalajara, Guadalajara,
Si^b(Bb)   *Re(D)*
Guadalajara, Guadalajara,
          Sol(G)
Tienes el alma de provinciana,

hueles a limpia rosa temprana.
          La(A)   *Re(D)*
A verde jara, fresco del río,
          La(A)   *Re(D)*
son mil palomas tu caserío.
          La(A)   *Re(D)*
Guadalajara, Guadalajara,
          Si^b(Bb)   *Re(D)*
sabes a pura tierra mojada.
Mi(E)   *Mi^7(E7)La(A)*
Ay Colomitos lejanos,

Mi(E)   *La(A)*
Ay, Ojitos de agua, hermanos.
          Mi(E)   *La(A)*
Colomitos inolvidables,
          Mi(E)   *La(A)*
inolvidables como las tardes
               Mi(E)   *La(A)*
en que la lluvia desde la loma
               Mi(E)   *La(A)*
no nos dejaba ir a Zapopan.

La(A) Sol(G)   *Re(D)*
Ay, ay,   ay
La^7(A7)   *Re(D)*
Ay, ay, ay. (bis)

2. Ay, Tlaquepaque bonito,
    tus olorosos jarritos
    hacen más fresco el dulce
    tepache para la birria junto al
    mariachi que en los parianes y
    alfarerías suenan con triste
    melancolía.

3. Ay, laguna de Chapala,
    tienes de un cuento la magia,
    cuentos de ocasos y de
    alboradas, de enamoradas
    noches lunadas.
    Quieta, Chapala, es tu laguna,
    novia romántica como
    ninguna.

GUADALAJARA
Words: M. Mirabella

Guadalajara, Guadalajara.
Guadalajara, Guadalajara.
You are the soul, the light of the
province.
Fair as a rose, the queen of my garden.
Clear as a river, cool as the water,
Fearless your sons and fair are your
daughters.
Guadalajara, Guadalajara.
You are the future; you are the promise.

Ay, Colomitos, my lover.
ay Ojitos de Agua, my brother.
Colomitos, who could forget you,
Knowing that God in heaven has blessed
you?
Sweet is the rain that kisses the flowers,
Lovely Zapopan, child of the hour.

Ay, ay ay,
Ay, ay, ay,

(Repeat)

(La Argentina)

Sol(G)
Llegando está el carnaval
      Re(D)   La^7(A7) Re(D)
quebradeño, mi   colita, ¡Ay!
   Sol(G)
Llegando está el carnaval
      Re(D)   La^7(A7) Re(D)
quebradeño, mi   cholita, ¡Ay!
  Si^m(Bm) La(A) Si^m(Bm)
Fiesta de la quebrada
    La(A) Si^m(Bm) Fa^7(F#7) Si^m(Bm)
humahuaqueño para cantar.
  Si^m(Bm)   La(A)   Si^m(Bm)
Erque, charango y bombo;
   La(A)Si^m(Bm) Fa^7(F#7)   Si^m(Bm)
carnavalito para   bailar.
Sol(G)   Mi(E)   La(A) Re(D)
Lai, lai, lai, lai; humahuaqueñito.
(bis)
   Sol(G)   Mi(E)   La(A) Re(D)
Quebradeña; humahuaqueñito.
(bis)
Si^m(Bm)   La(A)
Fiesta de la...

CARNIVAL TIME IS HERE
(El Humahuaqueño)
Words: M. Mirabella

Oh, Carnival time is here,
Little village, smile in the sun. (Repeat)
Sing to the river,
Sing to the mountains,
Sing to the clouds above.

Dance to the music,
Dance in the moonlight,
Dance with the one you love.

Lai, lai, lai, lai, sing to the clouds above.
Lai, lai, lai, lai, dance with the one you love.

©1986 Papa Mike's Music

EL QUELITE (6)

Re(D)
Que bonito es el Quelite
           La^7(A7)
bien haya quien lo formó

que por sus orillas tiene
            Re(D)
de quién acordarme yo.

Camino de San Ignacio,
        La^7(A7)
camino de San Javier,

no dejes amor pendiente
             Re(D)
como el que dejaste ayer.

CORO:
Sol(G)
Mañana me voy, mañana
Re(D)
mañana me voy de aquí

La^7(A7)
y el consuelo que me queda
            Re(D)
que te has de acordar de mi.

Debajo de limón verde;
me dió sueño y me dormí
y me despertó un gallito
cantando... ki-ki-ri-kí.
Yo no canto porque sé
ni porque mi voz sea buena
canto porque tengo gusto
en mi tierra y la ajena.

CORO

Mañana será otro diá.

*I first heard this beautiful love song
in the San Pedro Martir mountains of
Baja California. It must have been
about 1961 and not long after, I heard
it on an L.P. by Bud & Travis. I fell in
love with the music long before I could
understand the words. See if you can
find a recording by Travis Edmonson.
It's a gem.*

La^m(Am)
Que bonitos ojos tienes
              Re^m(Dm)
debajo de esas dos cejas
Sol⁷(G7)   Do(C)
debajo de esas dos cejas
             Mi(E)
que bonitos ojos tienes.
La^m(Am)
Ellos me quieren mirar
             Re^m(Dm)
pero si tu no los dejas
Sol⁷(G7)   Do(C)
pero si tu no los dejas
Fa(F)   Mi(E)
ni siquiera parpadear.

Mi(E)   La^m(Am)
Malagueña salerosa,

             Sol⁷(G7)
besar tus labios quisiera
            Do(C)
besar tus labios quisiera
Fa(F)   Mi(E)
malagueña salerosa.

Mi(E)   La^m(Am)
Y decirte niña hermosa,
            Sol⁷(G7)
y decirte niña hermosa.
            Do(C)
Que eres linda y hechicera.
       Fa(F)   Mi(E)
como el candor de una rosa.

Si por pobre me desprecias
yo te concedo razón
yo te concedo razón
si por pobre me desprecias.

Yo no ofrezco riquezas
te ofrezco mi corazón
te ofrezco mi corazón
en cambio de mis pobrezas.

Malagueña..

DIEZ NIÑITOS (2)

Do(C)
Uno, dos, tres niñitos,
Sol⁷(G7)
cuatro, cinco, seis niñitos,
Do(C)
siete, ocho, nueve niñitos,
Sol⁷(G7)   Do(C)
diez niñitos son.

Diez, nueve, ocho niñitos,
siete, seis, cinco niñitos,
cuatro, tres, dos niñitos,
un niñito es.

*"The town burro has died". I found this old lament in a collection of Chilian folk songs.
Strange, as RIVERANA has its roots in España.*

La^m(Am)   Mi⁷(E7)   La^m(Am)

Ya se murió el burro que acarreaba

     Mi⁷(E7)
el vinagre.

 La^m(Am)   Sol(G)   Fa(F)
Ya lo llevó Dios de esta vida

     Mi(E)
miserable.

     Fa(F)   Sol(G) Fa(F)Mi(E)
Que tu ru ru ru ru,   que tu ru ru
ru ru,

     Fa(F)   Sol(G) Fa(F)Mi(E)
que tu ru ru ru ru,   que tu ru ru
ru ru.

La^m(Am)   Mi⁷(E7) La^m(Am)   Mi⁷(E7)
Él era valiente, él era mohino,
La^m(Am)   Sol(G)   Fa(F)   Mi⁷(E7)
él era el alivio de todo Vilariño.

     Fa(F)   Sol(G) Fa(F)Mi(E)
Que tu ru ru ru ru,   que tu ru ru
ru ru,

     Fa(F)   Sol(G) Fa(F)Mi(E)
que tu ru ru ru ru,   que tu ru ru
ru ru.

Estiró la pata, arrugó el hocico,
con el rabo tieso decía, "Adiós
Perico."
Que tu ru ru ru ru, que tu ru ru ru
ru,
que tu ru ru ru ru, que tu ru ru ru
ru.

Todas las vecinas, fueron al
entierro.
La tía María tocaba el cencerro.
Que tu ru ru ru ru, que tu ru ru ru
ru,
que tu ru ru ru ru, que tu ru ru ru
ru.

THE BURRO

Words: M. Mirabella

Our burro won't be passing through
these cobbled streets this morning.
God has called our little friend
and took him without warning.

Ke tu ru ru ru ru
Ke tu ru ru ru ru ru.   (Repeat)

He was always friendly;
He was our amigo,
He was loved by everyone; a child
of Vilariño.

Ke tu ru...

His legs were stretched beside him,
His nose so small and wrinkled.
Then he twitched his tail, saying,
"Adiós, Perico."

Ke tu ru...

All his friends were gathered,
All of us together.
Even Tía María said, "Goodby friend,
forever".

Ke tu ru...

©1986 M. Mirabella

This song has more verses than can be counted. (Not all of them printable.)
Here is a chance for everyone to join in the fun. Each singer sets up a verse for the
next person. The trick is to keep the verses funny without getting crass. I heard a
variation of this in El Salvador, and the verses went on and on. Great fun.

Sol(G) Do(C)   Re⁷(D7)
Bamba, (la) bamba,
Sol(G) Do(C)   Re⁷(D7)
Bamba, (la) bamba. (bis)

    Sol(G) Do(C) Re⁷(D7)
Para bailar la bamba,
    Sol(G)
para bailar la bamba
Do(C) Re⁷(D7)   *Sol(G) Do(C)Re⁷(D7)*
se necesita una poca de gracia,
    Sol(G)   *Do(C)   Re⁷(D7)*
una poca de gracia y otra cosita.
    Sol(G) Do(C) Re⁷(D7)
¡Ay! Arriba y arriba,
    Sol(G)   *Do(C) Re⁷(D7)*
¡Ay! Arriba y arriba y arriba iré.
    Sol(G) Do(C) Re⁷(D7)
Yo no soy marinero.
    Sol(G)   *Do(C) Re⁷(D7)*
Yo no soy marinero, por tí seré.
    Sol(G)   *Do(C)   Re(D)*
Por tí seré, por tí seré.
Sol(G) Do(C)   Re⁷(D7)
Bamba, (la) bamba...

Para ser mi cuñado,
para ser mi cuñado
se necesita que me des a tu
hermana,
que me des a tu hermana, la más
bonita.
¡Ay! Arriba y arriba...
Yo no soy marinero, soy capitán,
soy capitán, soy capitán
Bamba, (la) bamba...

¡Ay! Cupido te pido,
¡Ay! Cupido te pido
de compasión, que se acabe la
bamba,
que se acabe la bamba y venga
otro son.
¡Ay! Arriba y arriba...

Bamba, (la) bamba...

LA VAQUILLA COLORADA (10)
(The Red Steer)

Do(C)
Abre las trancas, vaquero,
Fa(F)
del corral de la manada.
Sol⁷(G7)
Qué tenemos que lazar
    Do(C)
la vaquilla colorada. (bis)

Do(C)   *Fa(F)*
Uy, uy, uy, uy,
Sol⁷(G7)   *Do(C)*
Vamos a lazar

Sol⁷(G7)
a la colorada
    Do(C)
qué tenemos que tentar. (bis)

Do(C)
Dicen que la colorada
Fa(F)
tienen los cuernos puntales
Sol⁷(G7)
Dicen que le tienen miedo
    Do(C)
vaqueros y caporales. (bis)

*From the days of the Great Revolution. PanchoVilla had the reputation of being
two, three, even four places at once! No wonder they called him 'cucaracha'.
The little song below has nothing whatever to do with the original.
I don't remember if I wrote it or stole it. Just enjoy it.*

Sol(G)

Coro: La cucaracha,

la cucaracha,

Re(D)
ya no puede caminar

Re⁷(D7)
porque no tiene,

porque le falta
Sol(G)
las dos patitas de atrás.

Sol(G)
1. Una cosa me da risa,
Re(D)
Pancho Villa sin camisa,
Re⁷(D7)
ya se van los Carrancistas

porque vienen los
Sol(G)
Villistas.

CORO

2. Un panadero fue a misa,
no encontrando que rezar,
le pidió a la Virgen pura,
dinero para gastar.

CORO

3. Ya se van los
Carrancistas ya se van
haciendo la bola porque
viene Pancho Villa
y se los lleva de la cola.

CORO

THE LITTLE COCKROACH
(La Cucaracha)
Words: M. Mirabella

The little cockroach,
The little cockroach,
Can no longer walk alone.
Because he stumbles
and then he mumbles,
"Someone come and take me home."

1.   Have you ever seen his cousin?
He has cousins by the dozen.
Was his cousin speaking of him?
Was he really thinking of him?

CHORUS

2.   Little cockroach thinks it's funny
Why a man would hide his money.
Thinks his supper's freely given
Any house he wants to live in.

CHORUS

©1986 Papa Mike's Music

————— SAN SERENÍN (3) —————

Do(C)
San Serenín de la buena buena vida

hacen así -- hacen los zapateros, así, así, así.
los panaderos
las lavanderas
los carpinteros
las costureras

(Sings The Dove)

Not to be confused with the OTHER Paloma song.
Like the Malagueña, this song has it all and says it all.

La(A)
Dicen que por las noches
           La⁷(A7)
no más se le iba en puro llorar,
Re(D)
dicen que no dormía,

no más se le iba en puro tomar.

Mi(E)
Juran que el mismo cielo
           La(A)
se estremecía al oír su llanto;

como sufrió por ella,
           Mi(E)
que hasta en su muerte la fue
La(A)
llamando.

La(A)   Mi(E)
¡Ay, ay, ay, ay, ay, cantaba!
           La(A)
¡Ay, ay, ay, ay, ay, reía!
           Mi(E)
¡Ay, ay, ay, ay, ay, ay, lloraba!
           La(A)
De pasión mortal moría.

Que una paloma triste
muy de mañana le va a cantar
a la casita sola,
con sus puertitas de par en par.

Juran que esa paloma
no esa otra cosa más que su alma,
que todavía la espera
a que regrese la desdichada.

Cucurrucucú paloma,
cucurrucucú no llores.
Las piedras, jamas, paloma
qué van a saber de amores.

SINGS LA PALOMA
Words: M. Mirabella

They say one day she vanished
Without a reason, without a word.
They say she left him singing the saddest
Love song they'd ever heard.
They say the heavens shuddered,
The angels trembled at his weeping.
Now, he's so alone, and nothing can
Console his grieving.

Ay, ay, ay, ay, ay, paloma,
Ay, ay, ay, ay, ay, his singing.
Nothing can console his weeping,
For his mortal soul is grieving.

Now it's early morning and with the dawn
He's all alone.
Still, he keeps on hoping she'll hear him
calling,
She'll hear his song.
Like the sad paloma, my soul is crying to rid
my sorrow.
Perhaps the dove and I will learn to fly
Again tomorrow.

Cucurrucucu, paloma,
Cucurrucucu, his singing.
Nothing can console his weeping,
For his mortal soul is grieving.

LA LLORONA (6)
(The Weeping Woman)
Letra Nueva: M. Mirabella

1.
   La^m(Am)   Re^m(Dm)
   Todos me dicen el Negro, Llorona,
   La^m(Am)   Mi^7(E7)
   Negro pero cariñoso;
   La^m(Am)   Re^m(Dm)
   todos me dicen el Negro, Llorona,
   La^m(Am)   Mi^7(E7)
   Negro pero cariñoso.
   La^m(Am)   Sol(G)
   Camino sólo y perdido, Llorona,
   Fa(F)   Mi^7(E7)
   risueño y no dichoso.
   La^m(Am)   Sol(G)
   Camino sólo y perdido, Llorona,
   Fa(F)   Mi^7(E7)
   risueño y no dichoso.

REFRÀN A:
   ¡Ay de mi! Llorona,
   Llorona de azul celeste; (bis)
   aunque la vide me cueste,
   Llorona, no dejaré de quererte. (bis)

2. Dicen que no tengo duelo,
   Llorona, porque no me ven llorar, (bis)
   Hay muertos que no hacen Ruido, Llorona
   y es más grande su penar. (bis)

REFRÀN B:
   ¡Ay de mi! Llorona,
   Llorona de ayer y hoy, (bis)
   Ayer maravilla fui, Llorona,
   y ahora ni la sombra soy. (bis)

3. Salías del templo un día,
   Llorona, cuando al pasar yo te ví. (bis)
   Hermoso huipil llevabas,
   Llorona, que la Virgen te creí. (bis)

REFRÀN A
4. Si al subir pudiera, Llorona,
   las estrellas te bajará, (bis)
   La luna a tús pies pusiera,
   Llorona, con el sol te coronará. (bis)

REFRÀN B

LA LLORONA
(The Weeping Woman)
Words: M. Mirabella

Every one calls me the dark one, Llorona
The dark one, but loving and true;
Every one calls me the dark one, Llorona
The dark one, but loving and true.

Although I am lost and unworthy, Llorona,
I'll keep on smiling fo you.
Although I am lost and unworthy, Llorona,
I'll keep on smiling for you.

REFRAIN:
   ¡Ay de mí! Llorona,
   Llorona of heavenly blue,
   ¡Ay de mí! Llorona,
   Llorona of heavenly blue.
   No matter if death should await me, Llorona,
   I'll never stop loving you.
   No matter if death should await me, Llorona,
   I'll never stop loving you.

2. Every one says I'm not grieving, Llorona,
   Because they don't see me cry. (Repeat)
   You won't find the dead complaining, Llorona,
   and their pain is much greater than mine. (Repeat)

REFRAIN:
   ¡Ay de mí Llorona!,
   Of Yesterday and of today. (Repeat)
   Yesterday I was your lover, Llorona
   Today I'm a shadow that fades. (Repeat)

3. One day while leaving the temple, Llorona,
   I saw you passing me. (Repeat)
   A beautiful dress you were wearing, Llorona,
   The Virgin I thought you to be. (Repeat)

REFRAIN

4. If I could climb to the heavens, Llorona
   I'd bring down stars for you. (Repeat)
   The moon I would lay at your feet, Llorona
   The sun for your crown I would choose. (Repeat)

REFRAIN

©1986 M. Mirabella

Mi(E)

1. Estaba <u>la</u> <u>rana</u> cantando debajo
   Si⁷(B7)
   del agua; cuando la rana se
   puso a cantar,

   Mi(E)
   vino <u>la</u> <u>mosca</u> y la hizo callar.

   Mi(E)
2. Callaba la mosca a la rana,
   que   estaba cantando
   Si⁷(B7)
   debajo del agua;

   cuando la mosca se puso a
   cantar,
   Mi(E)
   vino <u>la</u> <u>rana</u> y la hizo callar.

   Mi(E)
3. Callaba la rana a la mosca   a
   la rana, que estaba cantando
   Si⁷(B7)
   debajo del agua;

   cuando la araña se puso a
   cantar, vino <u>el</u> <u>ratón</u> y la hizo
   Mi(E)
   callar.

   Mi(E)
4. Callaba el ratón a la araña, la
   araña a la mosca,
   la mosca a la rana que estaba
   Si⁷(B7)
   cantando debajo del agua;

   cuando el ratón se puso a
   cantar, vino <u>el</u> <u>gato</u> y lo hizo
   Mi(E)
   callar.

5. Callaba el gato al ratón, el
   ratón a la araña,
   la araña a la mosca, la mosca
   a la rana que estaba cantando
   debajo del agua;
   cuando el gato se puso a
   cantar, vino <u>el</u> <u>perro</u> y lo hizo
   callar.

6. Callaba el perro al gato, el
   gato al ratón,
   el ratón a la araña, la araña a
   la mosca, la mosca a la rana
   que estaba cantando debajo del
   agua; cuando el perro se puso
   a cantar, vino <u>el</u> <u>palo</u> hizo
   callar.

7. Callaba el palo al perro, el
   perro al gato, el gato al ratón,
   el ratón a la araña, la araña
   a la mosca, la mosca a la rana
   que estaba cantando debajo del
   agua; cuando el palo se puso a
   cantar, vino <u>el</u> <u>fuego</u> y lo hizo
   callar.

8. Callaba el fuego al palo, el
   palo al perro, el perro al gato,
   el gato al ratón, el ratón a la
   araña, la araña a la mosca, la
   mosca a la rana que estaba
   cantando debajo del agua.

9. Callaba el agua al fuego, el
   fuego al palo, el palo
   al perro, el perro al gato, el
   gato al ratón, el ratón a la
   araña, la araña a la mosca, la
   mosca a la rana que estaba
   cantado debajo del agua;
   cuando el agua se puso a
   cantar, vino el toro y
   la hizo callar.

10. Callaba el toro al agua, el
    agua al fuego, el fuego al
    palo, el palo al perro, el perro
    al gato, el gato al ratón, el
    ratón a la araña, la araña a
    la mosca, la mosca a la rana
    que estaba cantado
    debajo del agua;
    cuando el toro se puso a
    cantar, vino <u>el</u> <u>cuchillo</u>
    y lo hizo callar.

Do(C)
El burrito está llorando:
Sol⁷(G7)
"Jijua, jijua, jijua."

¿Qué le pasa?

¿Qué le duele?
                        Do(C)
¡Si será que va a enfermar!

    Do(C)
El burrito está llorando:
Sol⁷(G7)
"Jijua, jijua, jijua."

Pobrecito, en la escuela,
                        Do(C)
¡Lo pusieron a estudiar!

El burrito está llorando:
"Jijua, jijua, jijua."
Ay burrito, no seas burro,
¡ni tampoco seas llorón!

El burrito está llorando:
"Jijua, jijua, jijua."
Lo dejaron castigado
por ponerse a platicar.

El burrito está llorando:
"Jijua, jijua, jijua."
Por tontito lo obligaron
a quedarse sin jugar.

¡Ay burrito ya no llores
y recuerda la lección!

═══ ARROZ CON LECHE (2) ═══

Sol(G)   Do(C)   Re⁷(D7) Sol(G)
Arroz con leche me quiero casar,
            Do(C)   Re⁷(D7)Sol(G)
con una señorita de Portugal.
            Do(C)   Re(D) Sol(G)
Con ésta, sí, con ésta, no,
                Do(C)   Re(D) Sol(G)
con esta señorita me caso yo.
Sol(G) Do(C)   Re⁷(D7) Sol(G)
Arroz con leche me quiero casar,

            Do(C)   Re(D) Sol(G)
con una señorita de Portugal.

Arroz con leche me quiero casar,
con una niñita de este lugar,
con ésta, sí, con ésta no,
con ésta me caso yo.
Arroz con leche me quiero casar,
con una niñita de este lugar.

═══ BINO (1) ═══
(Bingo)
Letra: Mike Mirabella

Sol(G)
Tengo un perro, llamado Bino
        Re⁷(D7)Sol(G)
Sí, se llama Bino
Sol(G) Laᵐ(Am)
B---I---N---O
Re⁷(D7)Sol(G)
B---I---N---O
Miᵐ(Em)Laᵐ(Am)
B---I---N---O
Re⁷(D7)   Sol(G)
Sí, se llama Bino.

BINGO

There was a farmer who had a dog,
and Bingo was his name-O

B-I-N-G-O,
B-I-N-G-O,
B-I-N-G-O,

And Bingo was his name-O.

© 1986 M. Mirabella, Papa Mike's Music

(Trad. España)

Dos rondas de niños que cantan alternativamente y giran dando pequeños saltos.

RONDA I

Do(C)
Vamos jugando al hilo de oro
          Sol⁷(G7)
y al hilo de plata también.

Que me ha dicho una señora,
         Do(C)
Que lindas hijas tenéis,

Yo las tengo, sí, las tengo,
        Sol(G)
yo las sabré mantener

con un pan que Dios me ha dado
        Do(C)
y un vaso de agua también.

RONDA II

Do(C)
Yo me voy muy enojado
         Sol⁷(G7)
a los palacios del rey,

a contárselo a la reina
        Do(C)
y el hijo del rey también.

Vuelva, vuelva caballero,
        Sol(G)
no sea tan descortés,

la mejor hija que tenga,
        Do(C)
la mejor se la daré.

LOS CARROS DEL FERROCARRIL (5)

Fa(F)
Erre con erre mi carro,
     Do(C)
erro con erre barril,

rápido corren los carros,
        Fa(F)
los carros del ferrocarril.
    (0)
Erre con erre cigarro,
erre con erre barril,
rápido corren los carros,
cargados de azúcar al ferrocarril.

THE RAILROAD CARS

R with R my car
R with R barrel
The cars run rapidly
The railroad cars.

MI AMIGO PIERROT (1)

Si♭(Bb)   Fa⁷(F7)Si♭(Bb) Fa⁷(F7)
Clara está la luna, mi amigo
     Si♭(Bb)
Pierrot,

        Fa⁷(F7)Si♭(Bb)Fa⁷(F7) Si♭(Bb)
préstame tu pluma para escribir.
Fa(F)   Do(C)
Yo mi candil sin lumbre,

        Fa(F) Si♭(Bb)
Oye pues mi voz, ábreme tu
Fa⁷(F7)
puerta,

Si♭(Bb)   Fa(F) Si♭(Bb)
por el amor de Dios.

¿QUÉ ÉS ESTO? (5)
(What is This?)
(Al tono "Clementine")

Re(D)
¿Qué es esto?

¿Qué es esto?

La⁷(A7)
¿Qué es esto que tengo yo?

Re(D)
son las cejas, las orejas,

La⁷(A7)   *Re(D)*
La nariz y el pelo.

Re(D)
Una mosca en la boca,

La⁷(A7)
ojos grandes, tengo dos,

Re(D)
una mente en la frente,

La⁷(A7)   *Re(D)*
la cabeza, tengo yo.

¿Qué es esto?...

Tengo brazos y dos manos,
en el pecho el corazón.
La barriga, las rodillas,
las piernas, tengo dos,
mis amigos, tan chiquitos,
son los pies en el suelo.

DOS Y DOS (2)

Re(D)
Dos y dos son cuatro.

Cuatro y dos son seis.

Seis y dos son ocho,

y ocho, dieciséis.

Re(D)
Y ocho, veinte y cuatro.

y ocho, treinta y dos.

Carlos va a la escuela,

y también voy yo.

> ## DOS Y DOS
>
> Two and two are four.
> Four and two are six.
> Six and two are eight,
> And eight, sixteen.
>
> And eight, twenty-four,
> And eight, thirty-two.
> Charles goes to school,
> And so do I.

LOS POLLITOS (2)

Re(D)
Los pollitos dicen,

La⁷(A7)
pío, pío, pío.

Re(D)
Cuando tienen hambre,

cuando tienen frío.

La gallina busca
el maíz y trigo,
les da la comida
y les presta abrigo.

Bajo las dos alas,
acurrucados,
hasta el otro día
duermen los pollitos.

Una ronda de niños que cantan lentamente.
En los versos finales sacan las cuentas con los dedos.

Fa(F)

Tengo una muñeca vestida de azul
Si♭(Bb)   Fa(F)
zapatitos blancos y gorrito azul

Fa(F)
La saqué a paseo se me sufrió
Si♭(Bb)   Fa(F)
la llevé a casa con un gran dolor.

Fa(F)
Le llamé al médico y me recetó,
Si♭(Bb)   Fa(F)
una cucharada de aceite castor.

Dos y dos son cuatro, cuatro y
dos son seis,

seis y dos son ocho y ocho
dieciséis,

y ocho veinticuatro y ocho treinta
y dos,

éstas son las cuentas que he
sacado yo.

ME GUSTAN TODOS (1)

Fa(F)

Me gustan todas, me gustan
todas,

                    Do⁷(C7)
me gustan todas en general.

Pero esa rubia, pero esa rubia
                         Fa(F)
me gusta más, me gusta más.

ME GUSTAN TODOS

I like them all,
I like them all,
I like them all in general
But that blond, I like
the best!

EN LA MESA (7)
(Can be sung to "Mullberry Bush.")

Re(D)

Mi buena mamita me lleva a la

mesa,
   La⁷(A7)   Re(D)
me da la sopita y después me

besa.

Re(D)

Me dan pan tostado y el vaso me

llena,
      La⁷(A7)   Re(D)
aún no se ha sentado mi mamita

buena.

Do(C)   Sol⁷(G7) Do(C)
Pajarillo,   paja---rillo,
Sol⁷(G7)
pajarillo barranqueño.

¡Qué bonitos ojos tienes,
Do(C)
lástima que tengas dueño!

━━━━━━━━ **EL JUEGO CHIRIMBOLO (1)** ━━━━━━━━

Do(C)
El juego chirimbolo,

¡que bonito es!

Con un pie, otro pie,

una mano, otra mano,

un codo, otro codo,

el juego chirimbolo,

¡qué bonito es!

━━━━━━━━ **UNO DE ENERO (5)** ━━━━━━━━

Re(D)
Uno de enero, dos de febrero,
La⁷(A7)
tres de marzo, cuatro de abril.

Cinco de mayo, seis de junio,
Re(D)
siete de julio, San Fermín.

Re(D)
La, la, la, la, la, la, la,
La⁷(A7)   Re(D)
¿Quién ha roto la pandereta?

La, la, la, la, la, la, la,
La⁷(A7)   Re(D)
él que la ha roto, la pagará.

━━━━━━━━ **FRAY FELIPE (2)** ━━━━━━━━
(Ronda)

Re(D)
Fray Felipe, Fray Felipe
La⁷(A7)Re(D)   La⁷(A7)Re(D)
¿duermes   tú? ¿duermes   tú?

Toca la campana,

Toca la campana,

Tan, tan, tan,. (bis)

España

Do(C)   Fa(F) Sol⁷(G7) Do(C)

Aserrín, Aserrán, los maderos de San Juan,

piden pan, no les dan,
    Fa(F)Sol⁷(G7) Do(C)
piden queso, ¡Les dan hueso!
Do(C)   Fa(F) Sol⁷(G7) Do(C)
Aserrín, Aserrán, los maderos de San Juan.

Piden pan, no les dan,
   Fa(F) Sol⁷(G7)Do(C)
¡Y les cortan el pescuezo!

RIQUI RAN (1)
(Ronda) España

Do(C)
Aserrín, Aserrán,
 Fa(F) Sol⁷(G7) Do(C)
los maderos de San Juan.

comen queso, comen pan.
   Fa(F)Sol⁷(G7) Do(C)
Los de Rique alfeñi----que; (bis)

los de Roque alfondoque.
   Fa(F)Sol⁷(G7)Do(C)
riqui, riqui, riqui, ran.

LOS NIÑO EN ESPAÑA CANTAN (1)

Sol(G)
Los niños de España cantan,
   Re⁷(D7)Sol(G)
cantan en Japón.
 Re⁷(D7)
Los pajaritos cantan, cantan,
 Sol(G) Re⁷(D7) Sol(G)
todos su canción.

(Hear the Call)

Sol(G)   Re⁷(D7)

1. Tenebrosas eran inmensas
   Sol(G)
   tinieblas,
           Do(C)
   desprecian la voz
   Re⁷(D7)   Sol(G)
   de Cristo el Señor.

CORO:
           Do(C)
   Oye el llamado. Te dice que
   Sol(G)
   vuelvas.
           Re⁷(D7)
   El quiere llevarte por mejors
   Sol(G)
   sendas.

2. La vida sin Cristo es una
   quimera;
   tan sólo es eterna en Cristo el
   Señor.

3. Acéptale a Cristo, Señor de
   señores,
   también El prepara un lugar
   para tí.

¿QUIÉN ES ESE? (2)
(Who is That?)

           Re(D)

1. ¿Quién es ése que camina en

   las aguas?

   ¿Quién es ése que a los sordos
           La⁷(A7)
   hace oír?

   ¿Quién es ése que a los

   muertos resucita?

   ¿Quién es ése que su nombre
           Re(D)
   quiero oir?

2. ¿Quién es ése que los mares
   obedecen?
   ¿Quién es ése que a los
   mundos hace hablar?
   ¿Quién es ése que da paz al
   alma herida y pecados con su
   muerte perdonó?

3. ¿Quién es ése que a nosotros
   ha llegado?
   ¿Quién es ése Salvador y
   Redentor?
   ¿Quién es ése que su Espíritu
   nos deja y transforma nuestra
   vida con su amor?

CORO:
           Sol(G)   Re(D)
   Es Jesús, es Jesús, Dios y
   La⁷(A7)   Re(D)
   hombre nos guía con su luz.
   (bis)

(I Will Celebrate Before the Lord)

Re*m*(Dm)   XX
Yo celebraré-delante del Señor,
La⁷(A7)   Re*m*(Dm)
   cantaré un cántico nuevo.
Re*m*(Dm)   XX
Yo celebraré-delante del Señor,
La⁷(A7)   Re*m*(Dm)
   cantaré un cántico nuevo.
Sol*m*(Gm)   Re*m*(Dm) La⁷(A7)
Yo le alabaré porque él ha hecho grandes cosas.
Sol*m*(Gm)   Re*m*(Dm) La⁷(A7)
Yo le alabaré porque él ha hecho grandes cosas.
Re*m*(Dm)
   Yo celebraré...

DIGNO DE GLORIA (1)
(Glory Be Dignified)

Do(C)   Sol⁷(G7)
Digno de gloria y de alabanza sí, digno de honor es El.
     Do(C)
Digno de gloria y de alabanza sí, digno de honor es El.
     Do⁷(C7)   Fa(F)
Me ha redimido con su sangre sí, su espíritu liberó,
Fa(F)   Do(C)   Sol⁷(G7)   Do⁷(C7)
Digno de Gloria y de alabanza sí, digno de honor es El.
Fa(F)   Do(C)   Sol⁷(G7)   Do(C)
Digno de Gloria y de alabanza sí, digno de honor es El.

EL ES MI PAZ (4)
(He is my Peace)

Re(D)   Sol(G)   Re(D)
El es mi paz. Ha quebrado todas mis cadenas;
     La⁷(A7)   Re(D) Re⁷(D7)
   El es mi paz. El es mi paz. (bis)
     Sol(G)   Re(D)
He hecho toda mi ansiedad sobre El. Pues, El cuida de mí.
     La⁷(A7)   Re(D)
   El es mi paz. El es mi paz. (bis)

GRACIAS POR EL AMOR (3)
(Thank You for the Love)

Sol(G)   Re(D)   Si^m(Bm)

1. Gracias por el amor de cielo,
Mi^m(Em)   Do(C) Re⁷(D7)
gracias por el inmenso mar,
Sol(G)   Do(C)
gracias por el cantar del

  La^m(Am)
bosque,
Sol(G) Re(D) Sol(G)
Ale---lu----ya.

2. Gracias por el amor del
mundo;
gracias por la felicidad.
Gracias por todos mis
hermanos.
Aleluya.

3. Gracias por este nuevo día;
gracias por nuestra juventud.
Gracias por la amistad de
todos.
Aleluya.

4. Gracias por toda la
hermosura;
gracias por nuestra gran
unión.
Gracias por todas las
bondades.
Aleluya.

UNA MIRADA DE FE (2)
(A Look of Faith)

Mi(E)
1. Una mirada de fe, una mirada
       Si⁷(B7)
de fe es la que puede salvar al
   Mi(E)
pecador. (bis)

CORO:
  Mi⁷(E7) La(A)
Y si tú vienes a Cristo Jesús,
        Si⁷(B7)
El te perdonará porque:

Mi(E)   Si⁷(B7)
Una mirada de fe es la que
           Mi(E)
puede salvar al pecador.

2. Una mirada de amor...

3. Es la mirada de Dios...

ALABEMOS A MARÍA (5)
(Praise to Mary)

Mi(E)   Si⁷(B7)   Mi(E)
Alabemos a María, la madre de Dios;
         Si⁷(B7)   Mi(E)
ensalzemos a María, la madre de Dios.
  La(A)   Mi(E)   Si⁷(B7)
alabémosla, ensalsémosla, glorifiquémosla
             Mi(E)
eternamente, amén.
  La(A)   Mi(E)   Si⁷(B7)
Alabémosla, ensalsémosla, glorifiquémosla
           Mi(E)
eternamente, amén. (Se repite)

CORO:

     Re(D)   La⁷(A7)
Oh María, Madre mía, oh
     Re(D)   La⁷(A7) Re(D)
consuelo del Mortal,
     Re(D)   La⁷(A7)
amparanos y guiadnos a la
   Re(D)   La⁷(A7) Re(D)
patria celest----ial.
     Re(D)   La⁷(A7)
Amparanos y guiadnos a la
   Re(D)   La⁷(A7) Re(D)
patria   celest--ial.

1.   Re(D)   La⁷(A7)
   Con el ángel de María las
        Re(D) La⁷(A7) Re(D)
   grandezas celebrad;
          Re(D)   La⁷(A7)
   transportados de alegría sus
      Re(D)   La⁷(A7)Re(D)
   finezas   publicad.

2. Salve júbilo del cielo del
   excelso dulce imán
   salve hechizo de este suelo
   triunfadora de Satán.

3. Quien a tí ferviente clama
   halla alivio en el pesar
   pues tu nombre luz derrama
   gozo y bálsamo sin par.

4. De sus gracias tesorera la
   nombró tu Redentor
   con tal Madre y medianera
   nada temas pecador.

5. Pues te llamo con fe viva
   muestra oh Madre tu bondad
   a mí vuelve compasiva tu
   mirada de piedad.

6. Hijo fiel quisiera amarte y por
   tí no más vivir
   y por premio de ensalzarte
   ensalzándote morir.

7. Del eterno las riquezas por ti
   logré disfrutar
   y contigo sus finezas para
   siempre publicar.

═══ LA GUADALUPANA (1) ═══

Mi(E)
Desde el cielo una hermosa
mañana,

desde el cielo una hermosa
mañana,

     La(A) Si⁷(B7)   Mi(E)
La Guadalupana, La Guadalupana,
     Si⁷(B7)   Mi(E)
La Guadalupana bajo al Tepeyac.
(Bis)

Por el cerro pasaba Juan Diego,
por el cerro pasaba Juan diego,
y acercóse luego, y acercóse
luego,
y acercóse luego al oír cantar.
(Bis)

Juan Dieguito, la Virgen le dijo,
Juan Dieguito, la Virgen le dijo
tú serás el hijo, tú serás el hijo,
tú serás el hijo que más he de
amar. (Bis)

En la tilma entre rosas pintadas,
en la tilma entre rosas pintadas,
su imágen amada, su imágen
amada,
su imágen amada se digno dejar.
(Bis)

Desde entonces para el mexicano,
desde entonces para el mexicano
ser Guadalupano, ser
Guadalupano,
ser Guadalupano es deber filial.
(Bis)

Mi(E)
Buenos días, paloma blanca,
    Si⁷(B7)   Mi(E)
hoy te vengo a saludar.

Saludando tu belleza
    Si⁷(B7)   Mi(E)
en tu reino celestial.
      La(A)
Eres la madre del Creador
  Mi(E)
a mi corazón le encanta,
    Si⁷(B7)
gracias te doy con amor,
          Mi(E)
buenos días, paloma blanca.

Niña linda, niña santa
vengo tu nombre a alabar,
Porque sois tan sacrosanta
hoy te vengo a saludar.
Reluciente como el alba,
pura, sencilla y sin mancha
que gusto recibe mi alma,
buenos días, paloma blanca.

Que linda está la mañana
con la aroma de las flores,
recibe suaves olores
antes de romper el alba.
Mi pecho rompe sus alas
gracias te doy Madre mía
en este dichoso día
antes de romper el alba.

Cielo azul, yo te convido
en este dichoso día.
Realizar tu hermosura
a las flores, Madre mía.
Madre mía de Guadalupe,
dame ya tu bendición,
recibe estas mañanitas
de mi humilde corazón.

OH VIRGEN SIN MANCHA (6)
(Oh Virgin Without Blemish)

    Mi(E)
1. Oh, Virgen sin mancha,
      Si⁷(B7)   Mi(E)
    Oh Madre de amor,

    El ángel te ofrezca mi
    Si⁷(B7) Mi(E)
    salutación.

CORO:
  La(A) Mi(E) Si⁷(B7) Mi(E) La(A)
  Ave, ave, ave María, ave,
  Mi(E) Si⁷(B7) Mi(E)
  ave, ave María.

2. Tú eres el orgullo de Dios
    creador,
    y el fruto más digno de la
    Redención.

3. Las gracias emanan del trono
    de Dios,
    y todas confluyen en tu
    corazón.

4. La luna humillada tus plantas
    besó,
    y el mundo te adora vestida
    del sol.

5. Pues somos tus hijos oye
    nuestra voz;
    defiéndenos siempre en la
    tentación.

Sol(G) Re⁷(D7)   Sol(G)
Padre nuestro, que estás en el
Re⁷(D7)
cielo,

CORO:
    Sol(G)   Re⁷(D7) Sol(G)
    ¡GLORIA A TI SEÑOR!
    Re⁷(D7)Sol(G)   Re⁷(D7)
Santificado sea tu Nombre.
    Sol(G)   Re⁷(D7) Sol(G)
    ¡GLORIA A TI SEÑOR!
Sol(G)   Re⁷(D7)   Sol(G)
Venga a nosotros, venga tu
Re⁷(D7)
Reino.
    Sol(G)   Re⁷(D7) Sol(G)
    ¡GLORIA A TI SEÑOR!
    Re⁷(D7) Sol(G)   Re⁷(D7)
Hágase siempre tu voluntad,
    Sol(G)   Re⁷(D7) Sol(G)
    ¡GLORIA A TI SEÑOR!

Así en la tierra, como el en cielo
    ¡GLORIA A TI SEÑOR!
Y danos hoy nuestro pan de cada
día
    ¡GLORIA A TI SEÑOR!
Y perdona nuestras ofensas,
    ¡GLORIA A TI SEÑOR!
Como perdonamos a los que nos
ofenden,
    ¡GLORIA A TI SEÑOR!

Y no nos dejes caer en tentación
    ¡GLORIA A TI SEÑOR!
Líbranos, Padre, de todo mal.
    ¡GLORIA A TI SEÑOR!
Pues tuyo es el Reino, el Poder y
la Gloria
    ¡GLORIA A TI SEÑOR!
Hoy y por todos los siglos de los
siglos.
    ¡GLORIA A TI SEÑOR!

JAMAICA LORD'S PRAYER

1. Our Father who art in heaven,
   Hallowed be Thy name;
   Thy Kingdom come, Thy will be done,
   Hallowed be Thy name.
   (Oh Lord, Hallowed be Thy name.)

2. As in Heaven so on the earth;
   Hallowed be Thy name;
   give us this day our daily bread,
   Hallowed be Thy name.
   (Oh Lord, Hallowed be Thy name.)

3. And forgive us Father all our debts;
   Hallowed be Thy name;
   As we forgive all our debtors,
   Hallowed be Thy name.
   (Oh Lord, Hallowed be thy name.)

4. For Thine is the Kingdom, power, and glory,
   Hallowed be Thy name;
   Forever and ever and ever the same.
   Hallowed be Thy name.
   (Oh Lord, Hallowed be Thy name.)

YA SE VAN LOS PASTORES (4)
(The Shepherds are Leaving)

Do(C)   Fa(F)
Ya se van los pastores a la
    Do(C)
Extremadura,

        Fa(F)
Ya se van los pastores a la
    Do(C)
Extremadura.

        Sol⁷(G7)
Ya se queda la sierra, triste y
    Do(C)
obscura,

             Sol⁷(G7)
Ya se queda la sierra, triste y
    Do(C)
obscura.
Ya se van los pastores marchando,
(bis)
Y las pobres zagalas se quedan
llorando. (bis)

Ya se van los pastores hacia la
majada, (bis)
Ya se queda la sierra, triste y
callada. (bis)

HONOR, LOOR Y GLORIA (4)

M.Teschner

Sol(G)   Do(C)   Sol(G)   Mi^m(Em)

Honor, loor y gloria al Rey y

Re(D)   Sol(G)

Redentor.

Do(C)   Sol(G)   Mi^m(Em)

a quién los niños daban hosanas

Re(D)   Sol(G)

con fervor.

Mi^m(Em)La7(A7) Re(D)   Mi^m(Em)

1.   Tú eres Rey de Israel y prole

La(A)   Re(D)

de David,

Sol(G)   Do(C)   Mi^m(Em)

que en nombre de Dios vienes

La^m(Am)Re(D) Sol(G)

al mundo a redimir.

2.   El coro de los cielos te alaba
con fervor,
y el hombre y lo creado
también te dan loor.

3.   Te recibió con palmas el
pueblo hebreo fiel,
nosotros hoy lo hacemos con
cánticos también.

4.   Te dieron alabanzas poco
antes de morir,
nosotros te cantamos
reinantes y a sin fín.

5.   Si ellos te agradaron, agrádate
también denos la fe sincera,
oh Tú clemente Rey.

ALL GLORY, LAUD, AND HONOR

All glory, laud, and honor
to thee, Redeeemer, King!
to whom the lips of children
Made sweet hosannas ring.

2.   Thou art the King of Israel
Thy David's royal son.
Who in the Lord's Name comest,
The King and Blessed One.

REFRAIN

3.   The company of angels
Are praising thee on high:
And mortal men, and all things
Created, make reply.

REFRAIN

4.   The people of the Hebrews
With palms before thee went:
Our praise and prayers and anthems
Before thee we present.

REFRAIN

5.   To thee before thy passion
They sang their hymns of praise:
To thee, now high exalted,
Our melody we raise.

LA NOCHE BUENA (5)
(Christmas Eve)

Do(C)

La Nochebuena se viene,

Sol⁷(G7)

la Nochebuena se va,

y la alegría de esta noche

Do(C)

nadie nos la quitará.

LET'S GO AND PLAY IN THE SNOW
(La Noche Buena)

Words: M. Mirabella

Can be sung to <u>Popeye The Sailor Man</u>

Christmas time may come,
Christmas time may go.
But nothing is better
When we are together,
So, let's go and play in the snow!

©1986 M. Mirabella

HIMNO DE LA ALEGRÍA (4)
(L. Von Beethoven)

1.
   Re(D)   *La(A)*   *Si^m(Bm)*
Escucha hermano, la canción
  Mi7(E7) La(A)
de la alegría,
  Re(D)Re7(D7)Sol(G)La⁷(A7) *Si^m(Bm)*
el canto alegre del que espera
    Mi7(E7)   *La(A)Re(D)*
un nuevo   dí-----a.

REFRÀN

  La(A) Re(D)   *La(A)*   *Re(D)*
Ven, canta, sueña cantando
  La(A)   *Si^m(Bm) La(A)*
vive soñando el nuevo sol,
  Re(D)Re7(D7) Sol(G)   *La⁷(A7) Si^m(Bm)*
en que los hombres volverán a
  Mi7(E7) La(A)Re(D)
ser hermanos.

2. Si en tu camino sólo existe la
tristeza y el llanto amargo de
la soledad completa.

REFRÀN

3. Si es que no encuentras la
alegría en esta tierra,
búscala hermano más allá de
las estrellas.

HYMN TO JOY
(JOYFUL, JOYFUL)
Words by Henry Van Dyke
Music by Ludwig Van Beethoven

1. Joyful, joyful we adore Thee, God of
glory, Lord of love;
Hearts unfold like flow'rs before Thee,
Op'ning to the sun above.
Melt the clouds of sin and sadness, drive
the dark of doubt away.
Giver of immortal gladness, fill us with
the light of day.

2. All Thy works with joy surround Thee,
Earth and heav'n reflect Thy rays:
Stars and angels sing around Thee, Center
of unbroken praise.
Field and forest, vale and mountain,
flow'ry meadow, flashing sea.
Chanting bird and flowing fountain, call
us to rejoice in Thee.

3. Thou art giving and forgiving. Ever
blessing, ever blest;
Wellspring of the joy of living, Ocean
depth of happy rest.
Thou, our Father, Christ, our brother, all
who live in love are Thine.
Teach us how to love each other, lift us
to the joy divine.

LA PRIMERA NAVIDAD (4)
(The First Noel)

  La(A)   *Mi(E)*
Navidad, Navidad,
   Re(D)   *La(A)*
¡Que dulce el son
Mi7(E7) La(A)Mi7(E7) La(A)   *Mi7(E7) La(A)*
de   cor---os celestes sobre   Be----lén!
Mi(E) La(A)   *Mi(E)*
Navidad, Navidad,
   Re(D)   *La(A)*
¡Que dulce el son,
   Re(D)   *La(A)*   *Mi7(E7)La(A)*
a los buenos pastores de Be---lén!
   La(A)   *Mi(E) Mi7(E7)*
¡Navidad! ¡Navidad!
   Re(D)   *La(A)*
¡Navidad! ¡Navidad!
La(A)   *Mi7(E7) La(A)Mi7(E7) La(A)*
Al nuevo Rey adorad,   adorad.

THE FIRST NOEL
(La Primera Navidad)

The first Noel,
The angels did say,
Was to certain poor shepherds
In fields as they lay;
In fields where they
Lay keeping their sheep
On a cold winter's night
That was so deep.
Noel, Noel, Noel, Noel.
Born is the King of Israel.

(Holy, Holy, Holy)

Re(D)   Si^m(Bm) La(A) Re(D)

1. ¡Santo! ¡Santo! ¡Santo!
Sol(G)   Re(D)
Señor omnipotente
Fa$^{\#m}$(F#m) Si^m(Bm) La(A)   Mi(E)
siempre el labio mío loores te
La(A)
dará.
Re(D)   Si^m(Bm) La(A) Re(D) Sol(G)
¡Santo! ¡Santo! ¡Santo! Te
      Re(D)
adoro reverente,
  Si^m(Bm) Fa$^{\#m}$(F#m)   Si^m(Bm)
Diós en tres   personas,
    Mi^m(Em)La^7(A7) Re(D)
bendita Trini------dad.

2. ¡Santo! ¡Santo! ¡Santo! el
numeroso coro,
de tus escogidos te adoran sin
cesar.
De gratitud llenos, y su
corona de oro,
alrededor inclinan del
cristalino mar.

3. ¡Santo! ¡Santo! ¡Santo! la
inmensa muchedumbre
de ángeles que cumplen tu
santa voluntad.
Ante tí se postra - bañada de
tu lumbre,
ante tí que has sido que eres y
serás.

4. ¡Santo! ¡Santo! ¡Santo! Por
más que estéis velado,
con sombra y el hombre no te
pueda mirar.
Santo tu eres solo y nada hay
a tu lado en poder perfecto
pureza y caridad.

5. ¡Santo! ¡Santo! ¡Santo! La
gloria de tu nombre,
publican tus obras en cielo,
tierra y mar.
¡Santo! ¡Santo! ¡Santo! Te
adora todo hombre.
Dios en tres personas, bendita
Trinidad.

HOLY, HOLY, HOLY! LORD GOD ALMIGHTY!

Reginald Heber, 1827

Holy, holy, holy! Lord God Almighty!
Early in the morning our song shall rise to thee:
Holy, Holy, Holy! merciful and mighty,
God in three Persons, blessed Trinity.

2. Holy, Holy, Holy! all the saints adore thee,
Casting down their golden crowns around the glassy sea;
Cherubim and seraphim falling down before thee,
which wert, and art, and evermore shalt be.

3. Holy, Holy, Holy! though the darkness hide thee,
Though the eye of sinful man thy glory may not see,
Only thou art holy; there is none beside thee,
Perfect in power, in love, and purity.

4. Holy, Holy, Holy! Lord God Almighty!
All thy works shall praise thy Name, in earth, and sky, and sea;
Holy, Holy, Holy! merciful and mighty,
God in the three Persons blessed Trinity.
Amen.

CORDERO DE DIOS
(Lamb of God)

Cordero de Dios que quitas el pecado del mundo,

ten piedad de nosotros. (bis)

Cordero de Dios que quitas el pecado del mundo,

danos la paz.

PADRE NUESTRO
(Our Father)

Padre nuestro que estás en el cielo,

santificado sea tu nombre.

Venga tu reino, hágase tu voluntad

en la tierra como el en cielo.

Danos hoy , nuestro pan de cada día,

perdona nuestras ofensas como también

nosotros perdonamos a los que nos ofenden.

No nos dejes caer en tentación,

Y líbranos del mal. A-men.

ACLAMACIÓN

Cristo ha muerto, Cristo ha resucitado,

Cristo de nuevo vendrá. (bis)

SANTO

Santo, Santo, Santo, Santo es el Señor Dios del universo.

Llenos están el cielo y la tierra de tu gloria.

Hosana en el cielo.

Bendito él que viene en nombre del Señor.

Hosana en el cielo.

SEÑOR, TEN PIEDAD
(Lord, Have Mercy)

Señor, ten piedad de nosotros. (bis)

Cristo, ten piedad de nosotros. (bis)

Señor, ten piedad de nosotros. (bis)

HOY A LA TIERRA (2)
(In Excelsis Deo)

Sol(G)   Re^7(D7) Sol(G)
1. Hoy a la tierra el cielo envía,
       Re^7(D7) Sol(G)
una capilla angeli----cal,
Mi^m(Em)   Re^7(D7) Sol(G)
Trayéndonos paz y alegría,
        Re^7(D7)Sol(G)
cantando el himno triun---fal;

5. Venid a verlo presurosos,
Venid a darle el para bien;
y con acentos amorosos,
cantad en su honor también.

CORO:

Sol(G)   Mi^7(E7) La^m(Am) Re(D) Sol(G) Mi^m(Em) Re(D)
¡Glo -   -   -   - -   -   ria!
Sol(G) Re(D) Sol(G) La^m(Am) Sol(G)   Re^7(D7)
in   ex----cel-----sis   De--- --- o! (bis)

2. Viene anunciando el
nacimiento de nuestro amable
Redentor;
colmados de agradecimiento,
digamos todos con fervor.

3. Unos pastores que velaban en
las praderas de Belén,
vieron querubes que entonaban
cantares para nuestro bien.

4. ¡Gloria! decían con voz suave,
¡Gloria a Jesús, el Rey de
amor!
¡Paz en la tierra a aquel que
sabe servir a Dios con santo
ardor!

ANGELS WE HAVE HEARD
ON HIGH

Angels we have heard on high
Singing sweetly through the night,
And the mountains in reply
Echoing their brave delight.
Gloria in excelsis Deo.

2. Shepherds, why this jubilee?
Why these songs of happy cheer?
What great brightness did you see?
What glad tidings did you hear?
Gloria in excelsis Deo.

3. Come to Bethlehem and see
Him whose birth the angels sing;
Come, adore on bended knee
Christ, the Lord, the new-born King.
Gloria in excelsis Deo.

4. See him in a manger laid
Whom the angels praise above;
Mary, Joseph, lend your aid,
While we raise our hearts in love.
Gloria in excelsis Deo.

1.
Mi^m(Em)   La^m(Am)

$Mi^m(Em)$ $La^m(Am)$
Oh ven, oh ven, Rey

$Mi^m(Em)$ $La^m(Am)Mi^m(Em)$
Emmanuel, Rescata   ya   a   Isra-------el,

$La^m(Am)$ $Do(C)Re(D)Sol(G)$
que llora en su desolaci ----ón y

$La^m(Am)$ $Mi^m(Em)$ $La^m(Am)$ $Mi^m(Em)$
espera   su   liberaci----ón.

$Sol(G)$ $Mi^m(Em)$ $La^m(Am)$ $Mi^m(Em)$
Vendrá, vendrá Rey   Emmanuel,

$La^m(Am)$ $Mi^m(Em)$
Alégrate, oh Isra----el.

2.
Sabiduría celestial, Al mundo
hoy ven a morar
corrígenos y haznos ver. En
tí lo que podemos ser.

Vendrá, vendrá Rey
Emanuel,
Alégrate, oh Israel.

3.
Anhelo de los pueblos, ven;
En tí podremos paz tener;
De crueles guerras líbranos, y
reine soberano
Dios.

Vendrá, vendrá Rey
Emanuel,
Alégrate, oh Israel.

4.
Ven tú oh Hijo de David, tu
trono establece aquí;
Destruye el poder del mal.
¡Visítanos,   Rey
celestial!

Vendrá, vendrá Rey
Emanuel,
Alégrate, oh Israel.

O COME, O COME, EMMANUEL

O come, O come, Emmanuel,
And ransom captive Israel,
That mourns in lonely exile here
Until the Son of god appear.

Rejoice! Rejoice! Emmanuel
Shall come to thee, O Israel!

2. O come, thou Wisdom from on high,
Who orderest all things mightily;
To us the path of knowledge show,
And teach us in her ways to go.

REFRAIN

3. O come, O come, thou Lord of Might,
Who to thy tribes on Sinai's height
In ancient times didst give the law,
In cloud, and majesty, and awe.

REFRAIN

4. O come, thou rod of Jesse's stem,
From every foe deliver them
That trust thy mighty power to save,
And give them victory o'er the grave.

REFRAIN

5. O come, thou key of David, come,
And open wide our heavenly home;
Make safe the way that leads on high,
And close the path to misery.

REFRAIN

Amen.

Latin C. 9th Cent.

In Mexico, Christmas celebrations last for nine days. Each evening, between the 16th of Dec. through Christmas Eve, friends form a procession and walk through the streets with lighted candles. The procession finally arrives at the home of one of the families. All are invited in and the party ends with the breaking of the piñata. This is the most traditional of the Las Posadas songs.

AFUERA

Re(D)   La7(A7)
En el nombre del cielo
         Re(D)
os pido posada,
Re^7(D7)   Sol(G)
pues no puede andar
     Re(D)La7(A7)Re(D)
mi esposa amada.

No seas inhumano,
tennos caridad
que el Dios de los cielos
te lo premiará.

Venimos rendidos
desde Nazaret,
yo soy carpintero
de nombre José.

Posada te pide
amado casero,
por solo una noche
la Reina del Cielo.

Mi esposa es María,
es la Reina del Cielo,
y madre va a ser
del Divino Verbo.

Dios pague, señores,
vuestra caridad,
y que os colme el cielo
de felicidad.

ADENTRO

Re(D)   La7(A7)
Aquí no es mesón
       Re(D)
sigan adelante,
Re^7(D7)   Sol(G)
pues no puedo abrir,
      Re(D)La7(A7)Re(D)
no sea algún tunante.

Ya se pueden ir
y no molestar,
porque si me enfado
os voy a apelear.

No no me importa el nombre
déjenme dormir,
pues que yo les digo
que no hemos de abrir.

Pues si es una Reina
quién lo solicita,
como es que de noche
anda tan solita?

¿Eres tú, Jose?
¿Tu esposa es María?
Entre, Peregrinos,
no los conocía.

Dichosa la casa
que alberga este día
a la Virgen pura
la hermosa María.

AL ABRIR LAS PUERTAS

Entren, Santos Peregrinos,
reciban este rincón
que aunque es pobre la morada,
os la doy de corazón.

Cantemos con alegría,
todos al considerar,
que Jesús, José y María
nos vinieron hoy a honrar.

O PUEBLICITO DE BELÉN (4)
(O Little Town of Bethlehem)
K. Krentz

Re(D)Re^b(D^b) Re(D)   Mi^m(Em)
O pue---bleci------to de Belén,

Re(D) La^7(A7)Re(D)
tranquilo yace   ya;

Si^7(B7)Mi^m(Em)
las estrellas son tu techo;

Re(D)La^7(A7)   Re(D)
Dios viene   y   se   va.

Re(D)La^7(A7) Fa#(F#)
Ya brilla en tus calles la

Si^m(Bm) Fa$^{\#7}$(F#7) Si^m(Bm) Mi^m(Em) Fa$^{\#7}$(F#7)
fas-----cin--------an------te   luz.

Re(D)   Si^7(B7) Mi^m(Em)
Aquí hay paz, acá amor:

Re(D)   La^7(A7) Re(D)
Nació   Niño   Jesús.

Mirando el pesebre
María admiró.
Velaron ya los ángeles
al Santo Redentor.
Juntaron las estrellas;
anuncian el labor.
Alabemos a Dios, el Rey
de paz y eterno amor.

O LITTLE TOWN OF BETHLEHEM
(Pueblecito de Belén)

Oh little town of Bethlehem,
How still we see thee lie;
Above thy deep and dreamless sleep
The silent stars go by.
Yet in thy dark streets shineth
The everlasting light;
The hopes and fears of all the years
Are met in thee tonight.

For Christ is born of Mary,
And gathered all above;
While mortals sleep, the angels keep
Their watch of wondering love.
O morning stars together,
Proclaim the holy birth,
And praises sing to God the King
and peace to men on earth.

THOSE OUTSIDE-THOSE INSIDE
(Pedida de la Posada)

Those outside:
In the name of heaven above
I ask you for a room to lodge.
Since my dear wife can no longer walk,
Since my dear wife can no longer walk.

Those inside:
This is no inn, please go away,
I cannot help you for I am afraid.
Rogues you might be at our gate,
Rogues you might be at our gate.

Those outside:
I am the carpenter, José,
We come exhausted from Nazareth.

Those inside:
Go away, go away, don't bother me,
for if you insist, I will punish thee.

Those outside:
My wife María, the Queen of Heaven,
Mother to be of the Living Word.

Those inside:
Are you José and María?
Enter then, pilgrims, I did not know you.

Those outside:
May God reward you for charity.
May heaven bless you with happiness.
Happy the house that shelters this day,
The Virgin María.

(The Long Journey)

Los peregrinos:
Re(D)   Si^m(Bm) Re(D)
De larga jornada
Sol(G) Re(D) La^7(A7) Re(D) La^7(A7)
ren----di---dos llegamos,

así lo imploramos
      Re(D) La^7(A7)Re(D)
para descansar.

Los posaderos:
  Re(D)   Si^m(Bm)   Re(D)
¿Quién, a nuestras puertas,
  Sol(G) Re(D)   La^7(A7)   Re(D)La^7(A7)
en   noche   incle----mente

se acerca, imprudente,
     Re(D)La^7(A7)Re(D)
para molestar?

Los Peregrinos:
  Re(D)   Si^m(Bm) Re(D)
Mi nombre es José,
  Sol(G)Re(D) La^7(A7) Re(D)La(A)
mi espo---sa   es   Ma--ría,

y madre va a ser
     Re(D)La^7(A7)Re(D)
del Divino Verbo.

Los Posaderos:
Re(D) Si^m(Bm)   Re(D)
Àbranse las puertas;
Sol(G) Re(D) La^7(A7)   Re(D)   La^7(A7)
en--trad, pues,   esposos:

Cultos reverentes
     Re(D) La^7(A7)Re(D)
venid a aceptar.

THE LONG JOURNEY

Words: M. Mirabella

The Pilgrims:
Long has been our journey,
See that we are weary.
Thus, we beg your kindness,
and a place to rest.

The Innkeepers:
Who at the door is calling,
The night is so foreboding,
Shamelessly comes to bother
Those of us within?

The Pilgrims:
I am called José,
My young wife is María.
Soon she will be the mother,
of the Holy Word.

The Innkeepers:
Let the doors be opened,
Enter, then, and bless us.
Come, accept our homage,
Humble tho it is.

DALE, DALE, DALE (1)
(Las Posadas)

Sol(G)   Do(C)
¡Dale, dale, dale!
Re^7(D7)   Sol(G)
No pierdas el tino.
    Do(C)
Porque si lo pierdes,
Re(D)   Sol(G)
pierdes el camino.

DALE, DALE, DALE
Words: M. Mirabella

Dale, dale, dale,
surgarplums and candy.
Hear the children singing:
"With the stick be handy."

Mi^m(Em)   *Si^7(B7)* *Mi^m(Em)*
Reyes de Oriente son,

              Si^7(B7) *Mi^m(Em)*
van en busca de Jesús;
Sol(G) *Re(D)* *Sol(G)*
por la tierra van guiados
La^m(Am)   *Si^7(B7)* *Mi^m(Em)*
por una estrel----la.

REFRÁN:
Re(D) *Re^7(D7)* *Sol(G)*   *Do(C)*   *Sol(G)*
    Oh, bella es la Santa Luz,
       Do(C) *Sol(G)*
La maravillosa luz.
       Re(D) *Sol(G)*
Que los guía al pesebre
La(Am)   *Si^7(B7)*   *Mi^m(Em)*
del divino Rey   Jesús.

Reyes de Oriente son,
que caminan hacia Belén;
van a contemplar el rostro
del Divino Rey.

REFRÁN

Baltazar, Gaspar y Melchor
van en busca de Jesús;
llevan dones de incienso,
oro y mirra.

REFRÁN

Todos los pueblos te alaben. Sal. 67:5

WE THREE KINGS
OF ORIENT ARE
(Los Reyes de Oriente)
John H. Hopkins

We Three Kings of Orient are;
Bearing gifts, we traverse afar,
Fields and fountain, moor and mountain
Following yonder star.

REFRAIN:
Oh, star of wonder, star of night,
Star with royal beauty bright.
Westward leading, still proceeding,
Guide us to thy perfect light.

Born a king on Bethlehem's plain,
Gold we bring to crown Him again,
King forever, ceasing never
Over us all to rein.

REFRAIN:
Oh, star of wonder...

Glorious now behold Him arise,
King and God and sacrifice;
Alleluia, alleluia,
Earth to the Heaven's replies.

REFRAIN:
Oh, star of wonder...

(Hark the Herald Angels Sing)

Sol(G)   Re7(D7)
Oíd un son en alta esfera:
Sol(G)   Do(C) Sol(G) Re7(D7) Sol(G)
"En los cielos gloria a   Dios,
Sol(G)   Mi^m(Em)   La^7(A7)
al mortal paz en la tierra."
Re(D)   La^7(A7) Re(D)
Canta la Divina Voz.
Sol(G)   Do(C) Sol(G) Re7(D7)
Con los cielos al---abam--os
Sol(G)   Do(C) Sol(G) Re7(D7)
al Eterno Rey cantamos,
Do(C)   Mi^7(E7)   La^m(Am)
a Jesús a nuestro bien,
        Sol(G) Re7(D7)   Sol(G)
con el coro de   Belén,
Do(C)   Mi^7(E7)   La^m(Am)
canta   la   Divina   Voz:
Re7(D7)   Sol(G)   Re7(D7) Sol(G)
"En los cielos gloria a Dios."

HARK THE HERALD ANGELS SING
(Heraldos Celestes)
Mendelson

Hark! The herald angels sing:
"Glory to the new-born King!"
Peace on Earth, and mercy mild,
God and sinners reconciled.
Joyful all ye nations, rise,
Join the triumph of the skies;
With the angelic host proclaim:
"Christ is born in Bethlehem."
Hark! the herald angels sing:
"Glory to the new-born King."

A LA RURU, NIÑO (4)
(Hush-a-bye, My Baby)

        Do(C)
A la rurru, niño,
        Sol^7(G7)
a la rurru ya,
        La^m(Am) Re7(D7)
duérmase mi niño,
        Sol(G)
y duérmase ya.
        Do(C)
Este niño lindo,
        Sol^7(G7)
que nació de día,
        La^m(Am) Re7(D7)
quiere que lo lleven
        Sol(G)
a la dulcería.

ESTRIBILLO:
        Do(C) La^m(Am) Do(C)La^m(Am)
    Que rur---ru, que rur---ru,
        Do(C)Fa(F) Sol(G)
    que tan, tin, tan,
        Sol^7(G7)
    que sopas, que sopas,
        Do(C)
    para San Juan. (bis)

Este niño lindo,

que nació de noche,
quiere que lo lleven
a pasear en coche.
ESTRIBILLO
A la rurru niño,
ararrú mi sol,
ararrú pedazo,
de mi corazón.
ESTRIBILLO

HUSH-A-BYE MY BABY
(A La Ruru, Niño)
Words: Mike Mirabella

Hush-a-bye my baby,
Hush-a-bye, now,
Sleep my little baby,
All is safe and sound.

Little child of beauty,
Lying in the hay,
Wants to feel the sunlight,
Wants to see the day.

Hush, now, Hush, now,
Gifts we bring,
Softly, Softly,
One, two, three.

Little child of beauty,
Born beneath the stars,
Wants to play with moonbeams,
Wonders what they are.

Hush-a-bye my baby,
Hush-a-bye my son,
Sleep my little angel,
Smile on everyone.

ESTRIBILLO:

$La^m(Am)$
De las montañas venimos
$Mi^7(E7)$
para invitarlo a comer

un lechoncito en su vara,
$La^m(Am)$
y un buen pitorro a beber.
(bis)
$Do(C)$
¡Ay, comáe*, María!
$Sol^7(G7)$
¡Ay compáe*, José!

Abrame la puerta,
$Do(C)$
que los quiero ver. (bis)

Abrame compáe*,
que ya son las tres,
y no he probao*
taza de café. (bis)

ESTRIBILLO

Sin arroz con dulce,
pastel de liro,
que estas Navidades
Tráigame un lechón.

ESTRIBILLO

Eso Yo lo sé,
aquí te traemos
bellísima flor,
del jardín isleño.

ESTRIBILLO

*comadre
compadre
probado

FROM THE HIGH MOUNTAINS WE GREET YOU
(De Las Montañas Venimos)
Words: Mike Mirabella

CHORUS:

From the high mountains we greet you,
And we invite you to share,
Some of your roast suckling pig;
Some of our good mountain fare. (Repeat)

Let us in, María,
Let us in, José.
Let the dors be open,
Don't send us away. (Repeat)

CHORUS

For it's late, María,
And the clock strikes three,
Yet, we haven't tasted
Either food nor drink!

CHORUS

Without rice and candy,
Without cake so sweet,
On this Christmas morning,
We refuse to leave!

CHORUS

So, before you go,
This you all should know,
On our garden island,
Roses bloom and grow. (Repeat)

CHORUS

©1986 Papa Mike's Music

La^m(Am) Mi7(E7)   *La^m(Am) Mi7(E7) La^m(Am)*
25   de   diciembre, fum, fum, fum.
La^m(Am) Mi7(E7)   *La^m(Am) Mi7(E7) La^m(Am)*
25   de   diciembre, fum, fum, fum.

        Do(C) Sol(G) Do(C) Sol(G) Do(C)
Un niñito muy bonito ha nacido
    Sol(G)   Do(C)
en un portal.
        Re(Dm)   Mi(E)   La^m(Am)
Con su carita de rosa, parece una
            Mi(E)
flor hermosa;
  La^m(Am) Mi7(E7) La^m(Am)
fum, fum, fum.

**Venid, venid pastorcitos, fum,
fum, fum.
Venid, venid pastorcitos, fum,
fum, fum.
A tocar las panderetas, castañuelas
al portal.
Alegrad a Dios del cielo, que
aparece en el suelo;
fum, fum, fum.**

FUM, FUM, FUM

25th day of December, fum, fum, fum.
25th day of December, fum, fum, fum.
Little babe so sweet and humble,
Born this day outside our gate,
Little face so full of wonder,
Like a flower in all it's splendor
Fum, fum, fum.

Come, Oh come, all ye good shepherds, fum,
fum, fum,
Come, Oh come, all ye good shepherds, fum,
fum, fum,
Play your tamborines together, let us hear your
castanets
Joy to all who art in heaven,
Peace on earth, good will forever,
Fum, fum, fum.

━━━━━ **ECHEN CONFITES (5)** ━━━━━
(Break the Piñata)

Do(C)
Echen confítes
Fa(F)   Do(C)
y canelones
Sol(G)
para los niños
            Do(C)
que son muy tragones. (bis)

**Anda nenita,
no te dilates,
con la canasta
de los cacahuates. (bis)**

**De los piñitos
a los ocotes
saltan y brincan
los tecolotes. (bis)**

**No quiero oro,
ni quiero plata;
yo lo que quiero
es quebrar la piñata! (bis)**

BREAK THE PIÑATA
(Echen Confites)

Keeping the bonbons and sugarplums handy,
All of the children love to eat candy. (2x)

Hurry, Nenita, smile and be jolly,
Bring us a basket of tinsel and holly. (2x)

All through the pine trees, snowflakes are
floating,
Dancing and jumping, the small tecolotes. (2x)

I don't want kisses, no quiero nada,
all that I want is to break the piñata. (2x)

©1986 M. Mirabella

Re(D) La⁷(A7) Re(D)
Pastores, a Belén
La⁷(A7)
vamos con alegría,

que ha nacido ya
Re(D)
el Hijo de María,

Sol(G)   Re(D)
Allí,   allí,
La⁷(A7)   Re(D)
allí nos espera Jesús. (bis)

Re(D)
Llevemos, pues,
La⁷(A7)
turrones y miel,

para ofrecer
Re(D)
al Niño Manuel. (bis)

Re(D)   La⁷(A7)
Vamos, vamos, vamos a ver,
Re(D)
Vamos a ver al recién nacido,
La⁷(A7)   Re(D)
Vamos aver al Niño Manuel.

Re(D)   La⁷(A7) Re(D)
Pastores, a Belén
La⁷(A7)
vamos con alegría.

a ver a nuestro bien,
Re(D)
al Hijo de María.

Sol(G)
Allí,   allí...

Re(D)   La⁷(A7)
Entrad, entrad, pastores entrad,

entrad, entrad, zagales también.
Re(D)
(bis)

Re(D)
Vamos, vamos, vamos a ver...

WE SHEPHERDS KNOW
THE WAY
Words: M. Mirabella

We shepherds know the way,
These humble gifts we carry,
In Bethlehem today,
A child is born to Mary.

Oh, see, Oh, see,
The light of the heavenly star. (Repeat)

And so, we bring him honey and cakes,
Fresh from our ovens, so gladly we baked.
(Repeat)

Let's go in and all have a peek;
Hush-a-bye, now, the baby is sleeping.
Alleluya, alleluya, Manuel.

We shepherds know the way,
These humble gifts we carry,
In Bethlehem today,
A child is born to Mary.

Come in, come in,
Rejoice in your heavenly king. (2x)

©1986 M. Mirabella
Controlled by Songs & Creations, Inc.

Sol(G)   Re(D)
Venid,   almas   fieles,

 Sol(G) Re(D) Sol(G) Do(C)   Sol(G) Re(D)
con   gozo   y   tri--unfan--tes;

  Mi^m(Em) La^7(A7)   Re(D)
venid   y   corramos,

        La^7(A7)   Re^7(D7)
todos   hacia   Belén.

  Sol(G)La^m(Am) Sol(G)   Do(C) Sol(G)
Hoy   ha   na----ci----do

      La^m(Am) Sol(G)   Mi^m(Em) La(A) Re(D)
el Rey   del   Celes-----te   Edén.

        Sol(G)Re(D)Sol(G) Re(D)   Sol(G)
Venid   y   a-----do----remos,

        Sol(G) Re(D) Sol(G) Do(C) Sol(G) Re(D)
venid   y   a----do----re----mos,

Sol(G) Do(C)Sol(G) Re(D)Mi^m(Em) Re(D)Do(C)
ven---id   y   a----do------- re--mos,

        Sol(G) Re^7(D7)   Sol(G)
al   Hi-----jo   de   Dios.

Dejad los rebaños,
humildes pastores,
alegres vayamos
a ver a Jesús.
Hay una estrella
que guía con su luz.
Venid y adoremos,
Venid y adoremos,
venid y adoremos,
al Hijo de Dios.

La luz que anunciaron
todos los profetas
por fin ha llegado
esta noche a Belén.
Hoy ha nacido
el Rey de los Angeles.
Venid y adoremos...

OH COME, ALL YE FAITHFUL
(Adeste Fideles)

Oh, come, all ye faithful,
Joyful and triumphant,
Oh come ye, oh come ye
To Bethlehem.
Come and behold Him,
Born the King of angels.
Oh come, let us adore Him,
Oh come, let us adore Him,
Oh come, let us adore Him,
Christ the Lord.

Sing, choirs of angels,
Sing in exultation,
Oh sing, all ye citizens
Of heaven above!
Glory to God,
All glory in the highest:
Oh come, let us adore him,
Oh come, let us adore Him,
Oh come, let us adore Him,
Christ the Lord.

Yea, Lord, we greet Thee,
Born this happy morning,
Jesus, to Thee be all glory giv'n.
Word of the Father,
Now in flesh appearing,
Oh come...

(How Beautiful is Christmas)
Música & Letra: Jesús Melgoza

Mi(E)
Ya la aurora despertando,

las campanas repicando

con su dindonear cantando
Si⁷(B7)
de felicidad, de felicidad,
Mi(E)
de felicidad.

En la casa y en la iglesia,
todo el mundo está de fiestas
porque se llegó la fecha
de felicidad, de felicidad,
de felicidad.
La(A)
Navidad, Navidad, Navidad,
Navidad,
Si⁷(B7)
¡Qué bonita, qué bonita, qué
bonita

Mi(E)
es Navidad! (Bis)

Por la calle va la gente,
saludando alegremente
con corazones ardientes
de felicidad, de felicidad,
de felicidad.

Los niños van retozando
con sus juguetes jugando,
sus pechitos palpitando
de felicidad, de felicidad,
de felicidad.

Navidad, Navidad, Navidad,...

DIME NIÑO (5)

La(A)
Dime niño,

¿De quién eres,
Mi(E)   La(A)Mi⁷(E7)
todo vestido de blanco?
La(A)
Dime niño,

¿De quién eres,
Mi(E)   La(A)
todo vestido de blanco?

CORO:
La(A)
Resuenen con alegría
Mi(E)
los cánticos de mi tierra,
Mi⁷(E7)
y viva el niño Dios
La(A)
que nació en la Nochebuena. (bis)

La(A)
2. La Nochebuena se viene, tu,   ru, ru, Mi⁷(E7)

La(A)
La Nochebuena se va.

Mi⁷(E7)
Y nosotros nos iremos, ta, ra, ra,
La(A)
y no volveremos más.
CORO

TELL ME, TELL ME
(Dime Niño)
Words: M. Mirabella

Tell me, Tell me, Babe of wonder,
Who's your father? Who's your mother?

CHORUS
The angels in heaven sing praises of glory,
"Long live the Son of God," "Long live the
Son of Mary." (2x)

Christmas time comes once a year, tu, ru, ru,
And Christmas goes away...
And we will soon be parting, Ta, ra, ra,
We'll not be back this way...

The angels in heaven sing...

PORQUE EL NIÑO DIOS NACIÓ (1)
(Because The Child Was Born)
Música y Letra: Jesús Melgoza

Do(C)
El cielo y la tierra están de fiesta
        Sol⁷(G7) Do(C)
porque el Niño Dios nació,
          Sol⁷(G7) Do(C)
(eco) --- porque el Niño Dios
    Do(C)
nació.

Los angeles y hombres se
embelesan
       Sol⁷(G7) Do(C)
contemplando al Niño Dios.
           Sol⁷(G7)
(eco) --- contemplando al Niño
  Do(C)
Dios.

CORO:
  Fa(F)   Do(C)
  Alelu -- alelu-- alelu - u -ya
         Sol⁷(G7) Do(C)
  Cantemos al Niño Dios,
  Fa(F)   Do(C)
  Alelu -- alelu-- alelu - u -ya
         Sol⁷(G7) Do(C)
  Cantemos al Niño Dios.

El cielo, el sol, la luna y las
estrellas
alumbran al Niño Dios,
    --- alumbran al Niño Dios.
La rosa, el clavel y la azucena
perfuman al Niño Dios,
    --- perfuman al Niño Dios.

CORO

Las bestias y las aves en el
campo
Le cantan al Niño Dios.
    --- le cantan al Niño Dios.
La lluvia, la arboleda y hasta el
viento
veneran al Niño Dios,
    --- veneran al Niño Dios.

CORO

A la ru, a la ru, a la ru ru ya,
El Niño ya se durmió. (eco)
A la ru, a la ru, a la ru ru ya
Duérmete Niño Dios. (eco)
©1985 Papa Mike's Music.

—— # NOCHE DE PAZ, NOCHE DE AMOR (5) ——
(Silent Night! Holy Night!)

Sol(G)
  Noche de paz, noche de amor;
Re7(D)   Sol(G)
todo duerme alrededor.
Do(C)   Sol(G)
Entre los astros que esparcen su
luz,
Do(C)   Sol(G)
bella, anunciando al niño Jesús,
Re7(D)   Sol(G)
  brilla la estrella de paz,
       Re7(D)   Sol(G)
  brilla la estrella de paz.

Noche de paz, noche de amor;
oye humilde el fiel pastor.
Coros celestes que anuncian
salud,

gracias y glorias en gran plenitud,
por nuestro buen redentor,
por nuestro buen redentor.

SILENT NIGHT! HOLY NIGHT!
(Noche de Paz, Noche de Amor)
Gruber

Silent night, Holy night,
All is calm, all is bright,
Round yon Virgin Mother and Child.
Holy infant, so tender and mild,
Sleep in heavenly peace,
Sleep in heavenly peace.

Silent night, Holy night,
Shepherds quake at the sight;
Glories stream from heaven afar,
Heav'nly hosts sing, Alleluia!
Christ the Saviour is born,
Christ the Saviour is born.

CIELITO LINDO (5)
(Quirino Mendoza)

Do(C)   *Sol^7(G7) Do(C)*
1. Del Cursillo de amores

   Sol^7(G7)Do(C)   *Sol^7(G7)*
amigo mío vienen llegando

Cursillistas alegres

               Do(C)
que de colores vienen cantando.

Do(C)   *Do^7(C7)*   *Fa(F) La^7(A7)*
Ay,   ay,   ay,   ay,...

Re^{m7}(Dm7)Sol^7(G7)   *Do(C)*
canta   y   no   llores

            Sol^7(G7)
que con la gracia se llenan

         Do(C)
de mil colores los corazones.

Do(C)   *Sol^7(G7) Do(C)*
2. Del Cursillo a la vida

   Sol^7(G7) Do(C)   *Sol^7(G7)*
amigos míos no hay más que un
paso

dálo con valentía que estando

            Do(C)
en gracia no da trabajo.

Do(C)Do^7(C7)   *Fa(F)La^7(A7)*
Ay,   ay,   ay,   ay,...

Por vivir de Colores
amigo mío yo bien quisiera,
que toda mi existencia
amigo mío, Cursillo fuera.

Ay, ay, ay, ay,...

Con Música de

ME HE DE COMER ESA TUNA (5)
(Esperón - Cortázar)

Si Dios es por nosotros,
¿Quién contra nosotros?
Ro. 8:31

Sol(G)
El que practica cursillos

     Re^7(D7)Sol(G)
se saca la lotería. (bis)

   Do(C)
Ganará muchos millones,

   Sol(G)
ganará muchos millones,

   Re^7(D7)
ganará muchos millones,

        Sol(G)
en unos poquitos días.

Toda la vida podemos vivir en
gracia y en paz. (bis)
Pues hizimos grande poda (ter)

cortando mucho maldad.

Para vivir de colores
hay que tener mucha hombría.
(bis)
Olvidemos el pasado (ter)
y empecemos nueva vida.

Fragua de santos y santas
cursillos de cristiandad. (bis)
Donde Cristo haya valientes
(ter)
que se entregan de verdad.

Este cursillo nos brinda
mil medios de santidad. (bis)
Ilusión todos podremos (ter)
con entrega y caridad.

(Fisherman of Men)

Re(D)   La^7(A7)   Re(D)   *Cesareo Gabarain*

Tú has venido a la orilla, no has

Sol(G)   La(A)
buscado ni a sabios ni a ricos,

    Re(D)   La(A)   Re(D)Re^7(D7)
tan solo quieres que yo Te siga.

CORO:

    Sol(G)
  Señor, me has mirado a los

Re(D)
  ojos;

    La^7(A7)
sonriendo has dicho mi

Re(D) Re^7(D7)
nombre,

    Sol(G)
en la arena he dejado mi

 Re(D)
barca,

    La^7(A7)   Re(D)
junto a Tí, buscaré otro mar.

Tú sabes bien lo que tengo, en mi
barca no hay oro ni espadas,

tan solo redes y mi trabajo.

CORO

Tú necesitas mis manos, mi
cansancio
que a otros descansé,
amor que quiera seguir amando.

CORO

Tu pescador de otros lagos, ansia
eterna
de almas que esperan,
Amigo bueno que así me llamas.

CORO

══════ **UNA ESPIGA (3)** ══════
(A Spike)

Cesáreo Gabarain © 1973 Ediciones Musical PAX

La(A)   Re(D)   La(A)
1. Una espiga dorada por el sol,

   el racimo que corta el
     Mi^7(E7)
   viñador,

    Re(D)
   se convierten ahora en pan y
  La(A)
   vino de amor,

    Si^m(Bm)   Mi^7(E7)
   en el cuerpo y la sangre del
  La(A)
   Señor.

2. Comulgamos la misma
   comunión. Somos trigo del
   mismo sembrador.
   Un molino, la vida, nos
   tritura con dolor.
   Dios nos hace Eucaristía en el
   amor.

3. Como granos que han hecho el
   mismo pan,
   como notas que tejen un
   cantar,
   como gotas de agua que se
   funden en el mar,
   los cristianos, un cuerpo
   formarán.

4. En la mesa de Dios
   se sentarán, Como hijos su
   pan comulgarán.
   Una misma esperanza
   caminando, cantarán.
   En la misma vida como
   hermanos se amarán.

(Let's Sing to Christ)

1.
Fa(F)   Do⁷(C7)
Cantemos al amor de los
   Fa(F)
amores,
Si♭(Bb)   Fa(F)
cantemos al Señor, Dios está
   Do⁷(C7)
aquí;
   Fa(F)   Do⁷(C7)   Re^m((Dm)
venid, adoradores, adoremos
             Mi⁷(E7)La^m(Am)
a Cristo Redentor.

CORO:
   Fa(F)   Si♭(Bb)   Do⁷(C7)
¡Gloria a Cristo Jesús!
             Fa(F)
¡Cielos y tierra, bendecid al
   Do⁷(C7)
Señor!
        Fa(F)   Si♭(Bb)
¡Honor y gloria a tí, Rey de

la gloria!
              Fa(F)
¡amor por siempre a tí, Dios
Do⁷(C7) Fa(F)
del amor!

2.
Por nuestro amor oculta en el
sagrario
Su gloria y esplendor; Para
nuestro bien
se queda en el santuario,
esperando a justo y pecador.

3.
¡Oh gran prodigio del amor
divino!
¡Milagro sin igual! ¡Prenda de
amistad,
banquete peregrino, do se
come el Cordero Celestial!

4.
¡Jesús potente, Rey de las
victorias!
¡A tí loor sin fín! ¡Canten tu
poder,
Autor de nuestras glorias,
Cielo y tierra
hasta el último con fín!

DIOS ESTÀ AQUÍ (1)
(Quédate, Señor)(God Is Here)

La(A)   Re(D)
Quédate Señor, quédate Señor,
Mi(E)   La(A)
quédate Señor en cada corazón,
La(A)   Re(D)
Quédate Señor, quédate Señor,
Mi⁷(E7)   La(A)
quédate Señor en mí.

       Mi(E)   La(A)
1. El Espíritu de Dios se mueve,
      Mi(E)   La(A)
   se mueve, se mueve.
        Mi(E)   La(A)
   El Espíritu de Dios se mueve,
      Re(D)   Mi⁷(E7) La(A)
   dentro de mi coraz---ón.
      Mi(E)
2. Oh, hermano deja que se

                La(A)
mueva,
   Mi(E)   La(A)
se mueva, se mueva.
        Mi(E)
Oh, hermano deja que se
La(A)
mueva,
          Re(D)   Mi⁷(E7)La(A)
se mueva en tu coraz---ón.

3. O, Cristo mío has de mi alma
    un altar,
    para adorarte, con devoción.
    para beber el agua de la Vida
    y así calmar mi pobre
    corazón.

(Long Live Peace)
Música & Letra: Jesús Melgoza

TODOS: La(A)   Re(D)
Viva la paz, viva el
La(A)
amor,
Mi⁷(E7)
Bellas sonrisas del
La(A)
corazón.
Re(D)   La(A)
Viva la paz, viva el amor,
Mi⁷(E7)
como lo manda la ley de
La(A)
Dios.

CORO: La(A)
Con tu sonrisa cautivas
Mi⁷(E7)
almas,

con tu mirada esparces
La(A)
luz,
La⁷(A7)
Un apretón de tu mano
Re(D)   La(A)
calma alguna pena, alguna
Mi(E)   La(A)
pena, alguna cruz.

TODOS:
Viva la paz...

CORO:
Dame tu mano, toma la
mía,
cantemos juntos viva la
paz,
porque viviendo en
armonía
tendremos mucha,
tendremos mucha
prosperidad.

TODOS:
Viva la paz...

CORO:
Cuando perdono mi alma
canta,
cantan los lirios y el
girasol.
Y se desborda de luz la
fiesta como la aurora,
como la aurora al
salir el sol.

TODOS:
Viva la paz...

━━━━━ **OH JÉSUS, OH BUEN PASTOR (7)** ━━━━━
(Oh, Jesus, Oh Good Shepherd)

CORO:
Mi(E)   Si⁷(B7)
Oh Jesús, oh buen pastor, dueño
Mi(E)
de mi vida,
Si⁷(B7)
ven a mí con santo amor, dulce
Mi(E)
Redentor.
Si⁷(B7)   Mi(E) Si⁷(B7)
l.   Eres Padre tierno, tú el

buen pastor,
Mi(E)
eres Verbo Eterno,
Si⁷(B7)   Mi(E)
Nuestro Salvador.

2.   Una santa llama con la
comunión,
por tu amor se inflama en
mi corazón.

3.   Con amor te imploro,
Dios de majestad;
Y en silencio adoro tu
divinidad.

4.   Yo en tí espero
Aumentar mi fe;
con amor sincero te
recibiré.

5.   Oh Jesús de mi alma,
fuente de dulzor,
quiero en santa calma
meditar tu amor.

(Sing, Sing, White Dove)
(Música & Letra: Jésus Melgoza)

La(A)
Reconozco que soy de barro

y que nada valgo en mi caminar.

Re(D)
Reconozco que aquí en la vida
      Mi(E)   *La(A)*
todo es mentira y vanidad.
Re(D)
Reconozco que aquí en la vida
      Mi(E)   *La(A)*
todo es mentira y vanidad.

CORO: *Mi(E)*   *La(A)*
Sólo Dios es infalible,
    Mi(E)   *La(A)*
sólo Dios es la verdad.
    Mi(E)   *La(A)*
Todo lo que nace muere,
       Mi(E)La(A)
sólo mi alma vivirá.

La(A)   *Re(D)*
Canta, canta, paloma blanca;
    Mi(E)   *La(A)*
canta, canta, tu madrigal,

                Re(D)
Canta, canta, paloma blanca,
    Mi(E)   *La(A)*
canta, canta, tu libertad.

Reconozco que voy de paso
y que no hay descanso en mi
caminar.
Reconozco que en mi camino
mi gran destino es el más allá.
Reconozco que en mi camino
mi gran destino es el más allá.

CORO

Canta, canta ....

━━━ **EL PANADERO (1)** ━━━
(The Baker)

Re(D)
El panadero que yo toco
           La⁷(A7)
es de piel de una ovejita,

si corría por los campos
          Re(D)
hoy retumba en mi casita. (bis)

CORO:
Re(D)
Ay lá, ay lá, ay lá, la la la la la
    La⁷(A7)
La la la la la la la la la la la
  Re(D)
la la. (bis)

El cursillo a que yo vine
es cursillo de verdad
donde se mezcla el estudio,
La alegría y la piedad. (bis)

Ay lá . . .

Si estás solo cursillista
eres cero y nada más
pero mayoría aplastante
si unído con Cristo estás. (bis)

(Los Cursillos)
Música & Letra: Jesús Melgoza

Re(D)
Los cursillos en cristiandad

        La(A)
van cubriendo el mundo entero,

formando hombres de verdad;
        Re(D)
cabales y muy sinceros,
        La(A)
Los cursillos en cristiandad
        Re(D)
van cubriendo el mundo entero.

Estribillo:
    Sol(G)
¡Viva Xto. Rey¡ . . . ¡Viva!
    Re(D)
¡Viva Xto. Rey! . . . ¡Viva!
      La⁷(A7)
¡Que vivan los Xllistas, qué son
soldados,

        Re(D)
qué van marchando con Xto. Rey!

Ellos no pueden perder
porque están protejidos
con el arma de la fé
y la cruz de un gran amigo.
--Rep. 1-2

Empezamos a cantar
el corrido de colores,
alegre cacaraquear
de gallitos cantadores.
--Rep. 1-2

Los invito a caminar
por este camino recto,
Vamos todos a cantar
al són de este movimiento.
--Rep. 1-2

Con Música de
——————— **EL QUELITE (5)** ———————
Esparza Otero

Re(D)
Qué bonitos los cursillos
      La⁷(A7)
bien haya quien los fundó

que por todos lados tienen
      Re(D)
"colores" al por mayor. (bis)

Sol(G)
Mañana me voy mañana
Re(D)
mañana me voy de aquí
    La⁷(A7)
y el consuelo que me queda
        Re(D)
que la gracia se va en mí.

Después de unos cuantos rollos

me dió sueño y me dormí
y al toque del campañero
a ellos feliz volví. (bis)

Mañana me voy mañana . . .

Si se te ofrece palanca
y tienes necesidad
te daremos guachadita
por medio de la piedad. (bis)

Mañana me voy mañana . . .

Camino a la vida vamos
camino a luchar por Dios
no dejas almas pendientes
que necesitan tu amor. (bis)

Mañana me voy mañana . . .

(Cumpleaños)

Re(D)   *La⁷(A7)*
Estas son las mañanitas
   Re(D)   *Sol(G)*
que cantaba el rey David.
     Re(D) *La⁷(A7) Re(D)*
Hoy por ser día de tu santo,
       La⁷(A7Re(D)
te las cantamos a tí.

REFRÀN:
  La⁷(A7)   *Re(D)*
Despierta, mi bien despierta,
  La⁷(A7)   *Re(D)*
mira que ya amaneció,
    Sol(G)   *Re(D)*
ya los pajaritos cantan,
    La⁷(A7) Re(D)
la luna ya se metió.

Ampola perfumada de los llanos
de Tepíc
si no estás enamorada, enamórate
de mí.

REFRÀN

Que bonita mañanita como que
quiere llover;
así estaba la mañana cuando te
empiece a querer,

REFRÀN

Si el sereno de la esquina me
quisiera hacer favor
de apagar su linternita mientras
que pasa mi amor.

REFRÀN

LAS MAÑANITAS

An early morning love song, that King
David used to sing.
Now, in honor of your saint's day,
a little greeting we bring.

Refrain:
Awaken, my love, awaken.
See now, it's early morn'.
For the little birds are singing,
the moon has already gone.

Refrain:
Little poppy sweetly blooming
on the hillside of Tepic.
If you have no other lover,
would you please look at me?

Refrain

Re(D)
¡Qué lindo está la mañana
La⁷(A7)
en que vengo a saludarte,

venimos todos con gusto
Re(D)
y placer a felicitarte!

REFRÁN:
La⁷(A7)
Ya viene amaneciendo,
Sol(G)
ya la luz del día nos dió;
La⁷(A7 Re(D)
levántate de mañana,
La⁷(A7)   *Re(D)*
mira que ya amaneció.

El día en que tú naciste
nacieron todas las flores,
y en la pila del bautismo
cantaron los ruiseñores.

REFRÁN

Quisiera ser solicito
para entrar por tu ventana,
y darte los buenos días
acostadita en la cama.

REFRÁN

De las estrellas del cielo
quisiera bajarte dos;
una para saludarte
y otra para decirte adiós.

REFRÁN

Con claveles y jazmines
te venimos a cantar,
por ser tu día de colores
te queremos felicitar.

REFRÁN

LAS MAÑANITAS TAPATÍAS

How beautiful is this morning
And our hearts are light and gay.
We sing God's song of blessing
And awaken you today.

CHORUS:
> The sun is now appearing
> And as day begins anew;
> Arise now and greet the morning
> That dawns with joy for you.

How blessed was your birthday
And flowers bloomed everywhere;
As baptismal waters flowed,
All the saints were singing there . . .

How I wish I were St. Peter,
How I wish I were St. John,
As we sing our song of love
To you in the early dawn . . .

So many stars in the heavens,
All I need are two for you.
One to greet you in the morning
And the other to say adieu .. . .

All around the flowers are blooming
As we're coming here to sing.
To make your life de colores
For true happiness we bring . . .

(I Will Sing, You Will Sing)
Letra y Musica: Albert Hammond, Juan Carlos Calerón, y Anahi Van Vandweghe

Do(C)   *Sol(G)*
Quiero ser un puerto en el mar,
    La^m(Am)
ser ese compas
       Do(C) Sol(G)
que te devuelva el rumbo
   Do(C)   *Sol(G)*
quiero ser un lugar de paz,
     La^m(Am)
y no dejar jamás
     Fa(F)   *Sol(G)*
que se te acabe el mundo.
  La^m(Am) Mi^m(Em)   *Fa(F)*
Amigo, amigo, no hay nada que
      Sol(G)
temer estoy contigo
   Do(C)   *Sol(G)*
y después de la oscuridad
    La^m(Am)   *Sol(G)*
esperando está un nuevo día.

CORO:
   Do(C)   *Fa(F)*   *Re^m(Dm)*
Cantaré, cantarás, y esa luz al
  Sol^7(G7)   *Do(C)*
final del sendero.
   La^m(Am)   *Fa(F)*
Brillará como un sol que
  Re^7(D7)   *Fa(F)*   *Sol(G) Sol^7(G7)*
ilumina el mundo entero.
   Do(C)   *Fa(F)*
Cada vez somos más y si al
  Re^m(Dm) Sol^7(G7)   *Do(C)*
fin nos damos la mano
     La^m(Am)   *Fa(F)*
siempre habrá un lugar para
  Re^7(D7)   *Sol(G)*
todo ser humano.

Do(C)   *Sol(G)*
Junto a tí quiero caminar,
    La^m(Am)
compartir el pan la pena y la
   Do(C) Sol(G)   *Do(C)*
esperan--za descubrí que en el
  Sol(G)
corazón,
     La^m(Am)
siempre hay u rincón
      Fa(F)Sol(G)
que no olvida la infancia.
  La^m(Am) Mi^m(Em)   *Fa(F)*
Amigo, amigo hay tanto por
      Sol(G)
hacer, cuenta conmigo.

CORO
   Do(C)   *Sol(G)*
Yo quisiera tener el poder de
    La^m(Am)   *Do(C) Sol(G)*
ayundar y cambiar tu desti------no
   Do(C)   *Sol(G)*
te daré cuanto puedo dar, solo se
   La^m(Am)   *Do(C)*   *Sol(G)*
cantar y para tí es mi can-----to
   Do(C)   *Sol(G)*
y mi voz, junto a las demas
     La^m(Am)
en la inmensidad se está
   Do(C) Sol(G)
escuchan---do.

CORO (en español primero)
    Do(C)   *Fa(F)*
I will sing, you will sing
    Re^m(Dm)   *Sol^7(G7)*
and a song will bring us
    Do(C)   *La^m(Am)*
together and our hopes and
    Fa(F)   *Re^m(Dm)*
our prayers we will make
    Fa(F)   *Sol(G)*
them last forever.

CORO (en español)

A COMER (1)
(Let's Eat)
Música y Letra: M. Mirabella

Do(C)
A comer (¡a comer!)

A comer (¡a comer!)

Todo el mundo griten, ¡vamos a
Sol⁷(G7)
comer!

Buen provecho, compañeros,

guisan bien, los cocineros,

todo el mundo griten, ¡vamos a
Do(C)
comer! (¡a comer!)

(ultima vez):

y con Cristo griten, ¡vamos a
Do(C)
comer! (¡a comer!)

HAS CAMBIADO (1)
(You Have Changed)

La(A)   Re(D)
Has cambiado mi lamento en
La(A)
baile,

Mi(E)
Me ceñiste de alegría,

Mi(E)
por tanto a tí cantaré gloria mía
Re(D)   Mi(E)La(A)
y no estaré callado.

Re(D)   La(A)
Jehova Dios mío te alaba----re,
La⁷(A7)   Re(D)
te alabaré para siempre.

Reᵐ(D)
Has cambiado mi lamento en
La(A)
baile,

Mi(E)   La(A)
Jehova Dios mío te alabaré.

YOU HAVE CHANGED
(Words: M. Mirabella)

You have changed my lament to dancing,
You have wakened my heart to joy.
You have taught me the wonder of laughing;
It is You who I love and adore.
Jehova God, I will praise your glory,
I will praise your name evermore.
You have changed my lament to dancing,
You have changed me forever, my Lord.

PADRE TE ADORO (4)
(Father I Adore You)

Re(D)   Miᵐ(Em) La⁷(A7)Re(D)
Padre te   ado-----ro, a tí te
Miᵐ(Em)La⁷(A7)Re(D)
doy mi vi----da,
Miᵐ(Em) La(A) Re(D)
como   te amo.
2. Cristo te adoro......
3. Espíritu te adoro......

FATHER , WE ADORE YOU
by Terrye Coeiho

1. Father, we adore you; lay our lives before you.
   How we love you.
2. Jesus, we adore you; lay our lives before you.
   How we love you.
3. Spirit, we adore you; lay our lives before you.
   How we love you.

(Christ Needs You)
Cesareo Gabarain

Mi^m^(Em)   Sol(G)
Cristo te necesita para amar, para

amar,

   Mi^m^(Em)   Si^m^(Bm) Mi^m^(Em)
Cristo te necesita para amar. (bis)

   Mi^m^(Em)   Sol(G)
Al que sufre y al triste dale amor,

dale amor,

   Mi^m^(Em)   Si^m^(Bm) Mi^m^(Em)
al humilde y al pobre dale amor.
(bis)

    Sol(G)
No te importen las razas ni el

  Si^m^(Bm) Do(C)   Sol(G)
color   de la piel,

   Do(C)   Re(D)
ama a todos como hermanos y haz
  Mi^m^(Em)
el bien. (bis)

    Mi^m^(Em)   Sol(G)
Al que vive a tu lado dale amor,

dale amor,

   Mi^m^(Em)   Si^m^(Bm) Mi^m^(Em)
Al que viene de lejos dale amor.

    Mi^m^(Em)
Al que habla otra lengua dale
   Sol(G)
amor, dale amor,

   Mi^m^(Em)   Si^m^(Bm) Mi^m^(Em)
Al que piensa distinto dale amor.

   Sol(G)
No te importen las razas ni el
  Si^m^(Bm) Do(C) Sol(G)
color   de la piel,
   Do(C)   Re(D)
ama a todos como hermanos y haz
  Mi^m^(Em)
el bien. (bis)

   Mi^m^(Em)   Sol(G)
Al amigo de siempre dale amor,

dale amor,

   Mi^m^(Em)   Si^m^(Bm) Mi^m^(Em)
y al que no te saluda dale amor.
   Mi^m^(Em)   Sol(G)
Cristo te necesita para amar, para

amar,

   Mi^m^(Em)   Si^m^(Bm) Mi^m^(Em)
Cristo te necesita para amar.

BUSCAD PRIMERO (4)
(Seek Ye First)

 Do(C)   Mi^m^(Em) La^m^(Am)   Do(C)
Buscad primero el reino de Dios y
Fa(F) Do(C)Sol(G)
la justi---cia,
  Do(C)   Mi^m^(Em) La^m^(Am) Do(C)
Todas las cosas se te añadirán
Fa(F)Do(C)   Sol(G) Do(C)
Ale--lú, Alelu-----ya.
Do(C)Mi^m^(Em)Fa(F)Do(C)Fa(F)Do(C) Sol(G)
A-----le-------lu----ya,   a---le-----luya,
Do(C)Mi^m^(Em)Fa(F)Do(C) Fa(F) Do(C)
a----le--------lu----ya,   ale---lú,
  Sol(G) Do(C)
alelu-----ya.

SEEK YE FIRST
(Buscad Primero)

Matt 6:33

1.   Seek ye first, the Kingdom of
The Lord and His righteousness.
And all these things shall be added
unto you. Al-le-lu, Allelujah.

2.   Ask and it shall be given unto you;
Seek and ye shall find; Knock and
it shall be opened unto you.
Al-le-lu, Allelujah.

*The second verse is not part of the
song as originally written.*

ORACION DE SAN FRANCISCO (3) ⎯⎯
(Prayer of St. Francis)
Música: Sebastian Temple

Do(C)   La^m(Am)   Do(C) La^m(Am)
1. Hazme un instrumento de tu paz,
  Do(C)   La^m(Am)   Re^m(Dm) Sol^7(G7)
 donde haya odio lleve yo tu amor,
  Re^m(Dm)   Sol^7(G7)   Re^m(Dm)
 donde haya injuría, tu perdón,
  Sol^7(G7)
 Señor,
  Re^m(Dm)   Sol^7(G7)   Do(C)
 donde haya duda, fe segura en Tí.

CORO:
 Fa(F)   Do(C)
Maestro, ayúdame a nunca buscar
  Re^m(Dm)   Sol^7(G7)
querer ser consalado como
  Do(C)
consalar;
  Fa(F)   Do(C)
ser entendido como entender,
  Re^7(D7)   Sol^7(G7)
ser amado como amar.

2. Hazme un instrumento de tu
 paz,
 que lleve tu esperanza por
 doquier,
 donde haya obscuridad,
 lleve tu luz,
 donde haya pena, tu gozo,
 Señor. (CORO)

3. Hazme un instrumento de tu
 paz,
 es perdonando que nos das
 perdon,
 es dando a todos que Tú nos
 das,
 y muriendo es que volvemos
 a nacer.

MAKE ME A CHANNEL OF YOUR PEACE
Prayer of St. Francis
Music by Sebastian Temple

1. Make me a channel of your peace.
 Where there is hated, let me bring your
 love.
 Where there is injury, your pardon, Lord.
 And where there's doubt, true faith in
 You.

CHORUS:
 Oh, Master, grant that I may never seek
 So much to be consoled as to console.
 To be understood as to understand.
 To be loved, as to love with all my soul.

2. Make me a channel of your peace.
 Where there's despair in life, let me bring
 hope.
 Where there is darkness only light,
 And where there's sadness ever joy.
 (CHORUS)

3. Make me a channel of your peace.
 It is in pardoning that we are pardoned,
 In giving to all men that we receive,
 And in dying that we're born to eternal
 life.
 Oh, life.

DIOS Y HOMBRE SENTADOS A LA MESA (1) — 69
(God and Man At Table are Sat Down)

$Mi^m(Em)$ $Si^m(Bm)$
1. Bienvenido noble, santo
$Mi^m(Em)$ $Re(D)$
eterno las maravillas se
$La^7(A7)Re(D)$ $Si^7(B7)$
realizan ante tí.
$Mi^m(Em)$ $Si^m(Bm)$
Hace tanto tiempo fueron
$Mi^m(Em)$
dichas.
$La^{m7}(Am7)$
DIOS Y EL HOMBRE EN
$Si^m(Bm)$ $Mi^m(Em)$
UNA MESA ESTÀN,
$La^{m7}(Am7)$
DIOS Y EL HOMBRE
$Si^m(Bm)$ $Mi^m(Em)$
EN UNA MESA ESTÀN.

2. Sentados los mayores y
menores patriarcas y profetas
a su alrededor;
el hombre ve lo que desearon
los ángeles.
DIOS Y EL HOMBRE........

3. ¿Quién da la fiesta de la
victoria?
¿Quién hace tan fácil nuestra
guerra?
Jesús Salvador, príncipe de
paz.
DIOS Y EL HOMBRE........

4. Aquí; pobres, enfermos,
humildes,
pescadores, públicos se
acercan sin temor los hijos ya
en casa.
DIOS Y EL HOMBRE........

5. Estar con el Señor la
recompensa con cantos de
júbilo en un corazón
adoran al Seŏr que está en la
mesa.
DIOS Y EL HOMBRE........

6. Cuando el fin de este mundo
llegue cuando Jesús y la
Iglesia sean uno la fiesta del
amor ha comenzado.
DIOS Y EL HOMBRE........

GOD & MAN AT TABLE
ARE SAT DOWN
By Robert Stamps

1. Welcome all you noble saints of old,
As now before your very eyes unfold
The wonders all so long ago foretold.

CHORUS:
God and man at table are sat down.
God and man at table are sat down.

2. Elders, martyrs, all are falling down;
Prophets, patriarchs are gathering round,
What angels longed to see now we have
found.

3. Who is this who spreads the victory
feast?
Who is this who makes our warring cease
Jesus, Risen Savior, Prince of peace.

4. Beggars, lame, and harlots also here
Repentant publicans are drawing near;
Way-ward ones come home without a
fear.

5. Worship in the presence of the Lord,
With joyful songs and hearts in one
accord,
And let our Host at table be adored.

6. When at last this earth shall pass away
When Jesus and his bride are one to stay,
The feast of love is just begun that day.

SOMOS FAMILIA DE DIOS (5)
(We Are the Family of God)

Do(C)   Sol(G)   La^m(Am)
Somos familia de Dios, Sí
Fa(F)   Do(C)   Sol^7(G7)
Somos familia de Dios, El
    Do(C)   Sol(G) La^m(Am)
nos ha redimido y unido en El
    Fa(F)   Sol(G)   Do(C)
y la luz al mundo a tracer.

WE ARE THE FAMILY OF GOD
Words and Music by Jon Byron

Chorus:
We are the family of God,
Yes, we are the family of God,
And He's brought us together
To be one in Him,
That we might bring light to the world.

© 1976 by Jon Byron. Used by
permission. All rights reserved.

CRISTO, CRISTO (6)
(There's Something About That Name)

Do(C)   Mi^m(Em)   Do^7(C7)
Cristo, Cristo, mi Cristo;
    Fa(F)   Fa^m(Fm)Do(C)
dulce nombre celesti---al.
  Do(C)   Mi^m(Em) Do^7(C7)
Maestro, Divino, mi Cristo;
  Re^7(D7)   Sol^7(G7)
sublime sin igual.
    Do(C)   Mi^m(Em) Do^7(C7)
Cristo, Cristo, mi Cristo,
    Fa(F)   Fa^m(Fm)Mi^7(E7)
su dulzura proclama----rán
La^7(A7)   Re^7(D7)
por los siglos de la eternidad,
    Re^m(Dm) Sol(G) Do(C)
su gran nombre adora---rán.

**THERE'S SOMETHING ABOUT
THAT NAME**
Words and Music by William Gaither.

1.   Jesus, Jesus, Jesus
      There's just something about that name
      Master, Savior, Jesus
      Like the fragrance after the rain.
      Jesus, Jesus, Jesus
      Let All heaven and earth proclaim
      Kings and Kingdoms will all pass away,
      But there's something about that name.

© 1970 by William Gaither.
International copyright secured.
Made in U.S.A. All rights reserved.
Used by permission.

DEMOS GRACIAS AL SEÑOR (2)
(Let's Give Thanks to God)
by Cesareo Gabarain

    Re(D)
Demos gracias al Señor,

demos gracias,
    La(A)   Re(D)
demos gracias por su amor. (bis)
    Sol(G)   Re(D)
Por la mañanas las aves cantan
    La(A)   Re(D)
sus alabanzas a Dios el Creador.

    Sol(G)   Re(D)
También nosotros a El cantemos
    La(A)   Re(D)
y alabemos a Cristo el Redentor.

© 1973 Ediciones Paulinas

(I am the Bread of Life)
(Letra y Música: Sr. M. Suzanne Toolan, S. M.)

Sol(G)   Si^m(Bm)
Yo soy el Pan de vida;
   Do(C)
él que viene a Mi no tendrá
Re(D)
hambre,

     Sol(G)   Si^m(Bm)   Do(C)
él que cree en Mi no tendrá sed,
  Sol(G)   Mi^m(Em)
nadie viene a Mí,
    La^m(Am)   Re(D)
si mi Padre no lo llama.
      Sol(G) Re(D) Sol(G)
Yo lo resuci-----ta----ré,
      Do(C)   Sol(G) Re(D)
yo lo resuci------ta---ré,
       Sol(G) Do(C) Sol(G)
yo lo resucita--ré
La^m(Am) Sol(G)   Re(D)   Sol(G)
en   el   día   final.

El Pan que Yo les daré,
es mi Cuerpo; vida del mundo.
El que coma de mi carne,
tiene vida eterna,
tiene vida eterna. (CORO)

Si tú no comes
el Cuerpo del Hijo del Hombre
y bebes de su sangre,
y bebes de su sangre,
no tendrás vida plena en tí.   (CORO)

Yo soy la Resurrección,
Yo soy la Vida;
él que crea en Mí,
aunque muriera,
tendrá vida eterna. (CORO)

Sí, Senor, yo creo
que Tú eres el Cristo;
el Hijo de Dios
que vino al mundo
para salvarnos. (CORO)

I AM THE BREAD OF LIFE

I am the bread of life;
He who comes to me shall not hunger.
He who believes in me shall not thirst.
No one can come to me
Unless the Father draw him.

Refrain:
> And I will raise Him up,
> And I will raise Him up,
> And I will raise Him up
> on the last day.

The bread that I will give
Is my flesh for the life of the world,
And he who eats of this bread,
He shall live forever,
She shall live forever.
Refrain:

Unless you eat of the flesh
Of the Son of Man,
And drink of His blood,
And drink of His blood,
You shall not have life within you.
Refrain:

I am the resurrection,
I am the life;
He who believes in me,
Even if he die,
He shall live forever.
Refrain:

Yes, Lord, I believe
that you are the Christ,
the Son of God,
Who has come into the world.
Refrain:

JUNTOS VENCEREMOS (3)
(We Shall Overcome)
Letra: Barriales

Sol(G)   Do(C) Sol(G)
Juntos venceremos (bis)
      Do(C) Re⁷(D7)Miᵐ(Em)   La⁷(A7)Re⁷(D7)
sobre el   odi-----o   con amor.
  Do(C)Re⁷(D7)Sol(G)
Algún día será,
Do(C)   Re⁷(D7)Miᵐ(Em) Do(C)
Cristo ven---ci---------ó,
Sol(G)   Do(C) Sol(G)Re⁷(D7)Sol(G)
juntos vence------re------------mos.

Y caminaremos
la mano en la mano,
alzada la frente hacia el amor.
Cristo es nuestra luz.
Cristo venció,
juntos venceremos.

Y seremos libres (bis)
No tiene cadenas el amor.
Viviremos en paz.
Cristo venció,
juntos venceremos.

No tenemos miedo. (bis)
Alguien nos espera más allá
de los montes y el mar.
Cristo venció,
juntos venceremos.

WE SHALL OVERCOME
Frank Hamilton, Guy Carawan
and Pete Seeger

1.   We shall overcome, we shall
      overcome,
      We shall overcome someday
      Oh deep in my heart I do believe,
      We shall overcome someday.

2.   We shall all be free, we shall
      all be free.
      We shall all be free someday
      Oh deep in my heart I do believe
      We shall all be free someday.

3.   We will live in peace, we will live
      in peace
      We will live in peace someday
      Oh deep in my heart I do believe
      We shall all be free someday.

4.   The Lord will see us through,
      (Repeat)
      The Lord will see us through
      someday
      Oh deep in my heart I do believe,
      The Lord will see us through
      someday.

ESTE ES EL DÍA QUE HIZO EL SEÑOR (1)
(This Is The Day That The Lord Has Made)

Mi(E)
Este es el día, (bis)
   Si⁷(B7)
que hizo el Señor. (bis)

Nos Gozaremos, (bis)
       Mi(E)
y alegraremos en el. (bis)
La(A)   Mi(E)
Este es el día que hizo el Señor:
La(A)   Mi(E)
nos gozaremos, gozaremos en el.
  Mi(E)
Este es el día, (bis)
   Si⁷(B7)   Mi(E)
que hizo el Señor.

THIS IS THE DAY THAT THE LORD HAS MADE

This is the Day, this is the Day, that the Lord
has made, that the Lord has made.
Let us rejoice, let us rejoice and be glad in it,
and be glad in it.
(Break) This is the day that the Lord has made.
    Let us rejoice and be glad in it.
This is the day, this is the day, that the Lord
has made.

(You Are The God Of The Poor)
Letra y Música: Carlos Mejia Godoy y Pablo Martinez

CORO:

Re(D)   *La⁷(A7)*
Tú eres el Dios de los pobres;

Re(D)
el Dios humano y sencillo,

La⁷(A7)
el Dios que suda en la calle,

Re(D)
el Dios de rostro curtido.

Sol(G)
Por eso es que te hablo yo;

Re(D)
así como habla mi pueblo

La⁷(A7)
porque eres el Dios obrero

Re(D)
el Cristo trabajador.

Sol(G)
1.   Tú vas de la mano con mi

Re(D)
gente,

La⁷(A7)
luchas en el campo y la

Re(D)
ciudad,

Sol(G)
haces fila allá en el

Re(D)
campamento para que te

La⁷(A7)   *Re(D)*
paguen tu jornal.

Sol(G)
Tú comes sentado allá en el

Re(D)   *La⁷(A7)*
parque con Eusebio, Pancho y

Re(D)
Juan José;

Sol(G)
tú estás dando vueltas por el

Re(D)   *La⁷(A7)*
parque y juegas pelota

Re(D)
con Miguel. (CORO)

2.   Yo te he visto en un camión
de carga cortando la caña
y el maiz.
Te he visto vendiendo lotería
sin que te avergüence ese
papel.
Yo te he visto en las
gasolineras checando
las llantas de camión
y hasta componiendo
carreteras con guantes de
cuero y overol. (CORO)

Estrofa mexicana!

3.   Te he visto brincando el
alambrado que divide al
pueblo sin amor rejuntando
botes y cartones cuando no
hay trabajo en la ciudad.
Tú cortas manzanas y
lechugas al lado del pueblo
allá en el 'fil'.
Te he visto corriendo de la
'migra' y comiendo sopa
en la 'misión'. (CORO)

(We're Gonna' Pray 'Til The Power Of The Lord Comes Down)

Sol(G)
Vamos orando hasta que baje el

poder de Dios;

Vamos orando hasta que baje el
Re(D)
poder de Dios:
Sol(G)
¡Oh, Gloria a Dios!, ¡Oh, Gloria a
Do(C)
Dios!,
Sol(G)   Re(D)
Vamos orando hasta que baje el
Sol(G)
poder de Dios.

Sol(G)
Envía tu poder, (¡Envía!) Envía tu

poder, (¡Envía!)
Re(D)
Envía tu poder, Señor.
Re⁷(D7)
Envía tu poder, (¡Envía!) Envía tu

poder, (¡Envía!)

Sol(G)
Envía tu poder, Señor.

Sol(G)
Vamos orando hasta que......

WE'RE GONNA PRAY 'TIL THE POWER OF THE LORD COMES DOWN

Words: Bob Burleson, Bruce Burleson, Mike Mirabella

We're gonna pray 'til the power of the Lord comes down,
We're gonna pray 'til the power of the Lord comes down,
Oh, glory, glory! Oh, glory, glory!
We're gonna pray 'til the power of the Lord comes down.

Send us your power, (Lord) Send us your power, (Lord)
Send us your mighty power.
Send us your Spirit, (Lord) send us your Spirit, (Lord)
Send us your Holy Spirit, Lord.

We're gonna pray 'til......

═══════════ **DAME LA MANO (1)** ═══════════
(Take My Hand)

Do(C)   Sol⁷(G7)
No me importa a la iglesia que
Do(C)
vayas,
Sol⁷(G7)
si detrás del Calvario tu estás,
Do(C)   Fa(F)
si to corazón es como el mío;
Do(C)   Sol⁷(G7)
dame la mano y mi hermano
Do(C)
(hermana) serás.

CORO:
Sol⁷(G7)   Do(C)
Dame la mano, dame la mano,
Sol⁷(G7)
dame la mano y mi
Do(C)
hermano(a) serás. (bis)

Si tu iglesia es la Metodista,
la Bautista o la Pentecostés,
la Católica o la Presiteriano,
dame la mano y mi hermano(a)
serás. (CORO)

TAKE MY HAND
(Words: M. Mirabella)

I don't care what the sign on your door says,
if your Cross is on Mt. Calvary,
if our hearts share the same love for Jesus,
take my hand and my brother (sister)
you will be.

Be my brother, be my sister,
take my hand and my brother you will be.
Be my brother, be my sister,
take my hand and my sister you will be.

(Have You Seen Jesus My Lord)

75

CORO:

Do(C)Mi(E)   Fa(F)Lab(Ab) *Letra y Música:*

¿Has mirado al Señor?   *John Fischer*

Do(C)   Sol⁷(G7)   Do(C)Sol⁷(G7)
El   vive   aquí.

Do(C)Mi(E)   Fa(F) Lab(Ab)
Al abrir   tu corazón

Do(C) Sol⁷(G7)   Do(C)
El te lo mostrará.

Lam(Am)   Mim(Em)
1. Has mirado el atardecer

Fa(F)   Sol(G)   Do(C)
con el mar y el sol sus pies

Lam(Am)   Mim(Em)
y las nubes pintando el cielo

Fa(F)Fam(Fm)   Do(C)Sol⁷(G7)
te dire,   has visto a Cris---to

Do(C)
mi Señor. (CORO)

Lam(Am)   Mim(Em)
2. Has mirado el seno doliente

Fa(F)   Sol(G) Do(C)
de aquel hombre en la cruz

Lam(Am)   Mim(Em)
y el amor profundo en sus ojos

Fa(F)Fam(Fm)   Do(C)Sol⁷(G7)
te   dire,   has visto a Cris----to

Do(C)
mi Señor. (CORO)

Lam(Am)   Mim(Em)
3. Has estado en la familia

Fa(F)   Sol(G)   Do(C)
donde hay justicia y amor,

Lam(Am)   Mim(Em)
y tu prójimo es Jesús

Fa(F) Fam(Fm)   Do(C)Sol⁷(G7)
te diré,   has visto a Cristo mi

Do(C)
Señor. (CORO)

JESUS MY LORD
by John Fischer

Chorus:
Have you seen Jesus my Lord?
He's here in plain view.
Take a look, open your eyes,
He'll show it to you.

1. Have you ever looked at the sunset
   With the sky mellowin' red,
   And the clouds suspended like feathers?
   Then I say . . . (Pause)
   you've seen Jesus my Lord. (Chorus)

2. Have you ever looked at the cross,
   With a man hangin' in pain
   And the look of love in His eyes?
   Then I say . . . (Pause)
   you've seen Jesus my Lord. (Chorus)

3. Have you ever stood in the family
   With the Lord there in your midst,
   Seen the face of Christ on each other?
   Then I say . . . (Pause)
   you've seen Jesus my Lord. (Chorus)

EN EJIPTO ESCLAVO FUI

(I Was A Slave In Egypt) Letra: M. Mirabella

Do(C)   Sol⁷(G7)
En ejipto esclavo fui, sí, sí,

oh sí,
Do(C)   Fa(F)
En ejipto esclavo fui del rey
 Sol⁷(G7)Do(C)
Fara------ón.

Do(C)   Fa(F)
Triste, muy triste estaba, mi

corazón lloraba,
Sol⁷(G7)   Do(C)
hazme libre Señor. (bis)

Do(C)   Sol⁷(G7)
Fue Moises al Faraón, sí, sí,

oh sí,
Do(C)   Fa(F)   Sol⁷(G7)
fue Moises al Faraón y le dijo
 Do(C)
así.

Do(C)   Fa(F)
Deja ir a mi pueblo para rendirme
    Sol⁷(G7)   Do(C)
culto así dice el Señor. (bis)

Do(C)   Sol⁷(G7)
Faraón se endureció, sí, sí, oh sí,
Do(C)   Fa(F)   Sol⁷(G7)
Faraón se endurció, no los dejó
Do(C)
ir.

Do(C)
Dios le mando diez plagas,
Fa(F)

desenvaino su espada
Sol⁷(G7)   Do(C)
y así nos liberó. (bis)

Do(C)   Fa(F)
Gloria, Gloria, aleluya, Gloria,
Sol⁷(G7)   Do(C)
aleluya a Tí Señor.
 Do(C)   Fa(F)
Rotas fueron las cadenas que
                    Sol⁷(G7)   Do(C)
ataban mi vida y mi corazón.

I WAS A SLAVE IN EGYPT
(Words: M. Mirabella)

I was a slave in Egypt Land; down on my knees,
I was a slave of Pharoah, and, he was cruel to me.
 I was but Pharoahs' token, my heart was sad and broken,
 Hear, God, come set me free. (REPEAT)

Moses went to Pharoah; oh, yes, yes, he did,
Using words God gave to him; this is what He said:
 Free all my chosen people; let go my chosen people;
 that they may serve only me. (REPEAT)

Pharoah hardened to His plea; mercy on me,
Pharoah wouldn't set me free; foolish man was he.
 God sent His plagues on Pharoah; piercing his heart like arrows;
 So, Pharoah set me free. (REPEAT)

Glory, halleluya, Glory, halleluya, Glory to You, oh Lord.
Now that my chains are broken, now that my Lord has spoken,
I thank You, Lord my God.

CORO:

Re^m(Dm)Do(C)   Fa(F)   Si^b(B^b)
Todos Te presentamos confiando
            Fa(F)
en tu amistad;
            Sol^m(Gm)   Re^m(Dm)
nuestro esfuerzo, nuestro sudor,
            La^7(A7)   Re^m(Dm)
nuestro diario trabajar.

    Re^m(Dm)Do(C)   Fa(F)
Queremos ver convertidas nuestras
Si^b(B^b)   Fa(F)   Sol^m(Gm)
luchas y el dolor en tu vida y en
        Re^m(Dm)
tu valor,
        La^7(A7)   Re^m(Dm)
derrotando al opresor.

        Re^m(Dm)Do(C)   Re^m(Dm)
1.   Mira   las esperanzas de este
        Do(C)   Re^m(Dm)
        pueblo que hoy te llama
        Re^m(Dm)Do(C)   Fa(F)
        mira los sufrimientos de los
        Si^b(B^b)   La^7(A7)
        pobres que te buscan;
            Sol^m(Gm)
        atiende el clamor
        Re^m(Dm)   La^7(A7)
        del pueblo que está viviendo
                Re^m(Dm)
        en la opresión.

            Sol^m(Gm)   Re^m(Dm)
        Queremos resucitar en tu
            La^7(A7)   Re^m(Dm)
        vino y en tu pan.
            Sol^m(Gm)   Re^m(Dm)
        Queremos resucitar en tu
            La^7(A7)   Re^m(Dm)
        vino y en tu pan. (CORO)

        Re^m(Dm)Do(C)   Re^m(Dm)
2.   Somos un pueblo hambriento
            Do(C)   Re^m(Dm)
        que camina en tierra a jena.
        Re^m(Dm) Do(C)   Fa(F)
        Solamente son nuestras la
            Si^b(B^b)   La^7(A7)
        miseria y las cadenas,
        Sol^m(Gm)   Re^m(Dm)
        libranos del egoísmo, la
            La^7(A7)   Re^m(Dm)
        esclavitud y la opresión.
            Sol^m(Gm)   Re^m(Dm)
        Queremos saciar en tí
                La^7(A7)   Re^m(Dm)
        nuestra sed de salvación.
            Sol^m(Gm)   Re^m(Dm)
        Queremos saciar en tí
                La^7(A7)   Re^m(Dm)
        nuestra sed de salvación.
        (CORO)

HAY VIDA EN JESÚS (1)
(There's Life in Jesus)

    Re(D)
1.   Hay vida, hay vida, hay vida
            La^7(A7)
        en Jesús,

        hay vida, hay vida, hay vida
            Re(D)
        en Jesús.
                    Sol(G)
        Yo quiero morar en la patria

        celestial,
                La^7(A7)
        porque hay vida, hay vida
            Re(D)
        en Jesús.

2.   Hay gozo
3.   Hay canto
4.   Hay vida, hay gozo, hay canto
        en Jesús, etc.

**THERE'S LIFE IN
JESUS CHRIST**
*Words: Bob Burleson, Bruce Burleson,
Mike Mirabella*
There's life, there's life, there's life in Jesus
Christ,
There's life, there's life, there's life in Jesus
Christ.
I want to live in God's celestial country;
There's life in Jesus Christ.
2. There's joy
3. There's song
4. There's life, there's joy, there's song.........

(I Want To Sing) Letra: M. Mirabella

Do(C)   La^m(Am)
Quiero cantar una linda canción
        Re^m(Dm)   Sol^7(G7)
de un amigo que me transformó.
    Do(C)   La^m(Am)
Quiero cantar un linda canción
      Re^m(Dm)   Sol^7(G7)
de Aquél que mi vida cambió.
          Do(C) La^m(Am)   Re^m(Dm)
Es mi amigo, Jesús, es mi amigo
     Sol^7(G7)
Jesús,
          Do(C)   La^m(Am) Re^m(Dm)
El es Dios, El es Rey, es amor y
     Sol^7(G7)
verdad.
          Do(C)   La^m(Am) Re^m(Dm)
Solo en El encontré esa paz que
        Sol^7(G7)   Do(C)   La^m(Am)
busqué solo en El encontré
          Re^m(Dm) Sol^7(G7) Do(C)
la feli--------ci--------dad.

Quiero decir que Jesús me salvó
y en la cruz mis pecados llevó.
Quiero decir que pronto volverá
y con El siempre he de morar.
El me ama a mí, El te ama a tí
y por ese amor El su vida ofreció.
Solo en El encontré esa paz busqué;
Solo en El encontré la felicidad.

Quiero cantar una linda canción
de Jesús que el camino mostró,
quiero cantar una linda canción
de Aquel que mi alma salvó,
El me ama a mí, El te ama a tí
y por ese amor El su vida ofreció.
Solo en El encontré esa paz que
busqué;
solo en El encontré la felicidad.

I WANT TO SING
Words: M. Mirabella

I want to sing a most
Beautiful song for the
friend I encountered in Christ.

I want to sing a most
Beautiful song for the
changes He made in my life.

Jesus Christ is my friend,
Jesus Christ is my friend;
He is God, He is King,
He is Love, He is Truth.
Only Jesus could give
Me this peace, and I know,
Only Jesus could give
Me true happiness.

GRACIAS, DIOS POR LA SALVACIÓN (6)
(Thank You God For Saving My Soul)

    Re(D)   Sol(G)   Re(D)
Gracias, Dios, por la salvación,
                Mi^7(E7)   La(A)
Gracias, Dios, por tu gran perdón.
    Re(D)   Sol(G)   Re(D)
Gracias, Dios, por darme a mí
            Sol(G)   La^7(A7) Re(D)
la Vida Eterna. ¡Oh, gloria a Tí!

**THANK YOU GOD FOR SAVING
MY SOUL**
*Words: Bob Burleson, Bruce Burleson,
Mike Mirabella*

Thank you God for saving my soul,
Thank you God for making me whole.
Thank you God for giving to me
Life everlasting. Glory to Thee!

by Jester Hairston

CORO:

Mi(E)   La(A) Mi(E)
Amen, Amen, A---men,

La(A)Mi(E) Si⁷(B7) Mi(E)
A---men, A---men,

Mi(E)
1. Mira al Niño

puesto en un pesebre,

recién nacido.

Mi(E) La(A)Mi(E) La(A) Mi(E)
A--------men, A----men,

Si⁷(B7)Mi(E)
A-----men.

. Míralo en el Templo,
entre los sabios,
El les pregunta
Amen, Amen, Amen.

. Al que se arrepiente
no se escandaliza
le anuncia al Redentor
Amen, Amen, Amen.

. Luego, junto al mar
entre pescadores
llama a sus discípulos,
Amen, Amen, Amen.

. Y en Jerusalén
entre con los ramos
de olivo y palma.
Amen, Amen, Amen.

. Míralo en el huerto
triste y apenado
orando al Padre.
Amen, Amen, Amen.

7. Condenado a muerte
lo crucificaron
y ha resucitado
Amen, Amen, Amen.

8. Alegría hermanos
de nuestros pecados
nos ha salvado.
Amen, Amen, Amen.

AMEN

Chorus:
 A-men, A-men, A-men, A-men, A-men,
 Hallelujah.

1. See the baby (Amen)
 Sleepin' in the manger (Amen)
 On Christmas mornin'— A-men, A-men,
 A-men.

2. See Him at the temple
 Talkin to the elders
 Who marveled at His wisdom— A-men,
 Amen.

4. First He came a preachin'
 Then He came a teachin'
 Tellin' them disciples— A-men, Amen.

6. See Him in the garden
 Talkin' to the Father
 In deepest sorrow— A-men, A-men.

7. Went before Pilate
 Then they crucified Him
 But He rose on Easter— A-men, A-men.

NUEVA CREACIÓN (3)
(Camina Pueblo De Dios)
Letra: Justino Labour, Música: Domingo Prieto

CORO:

Mi^m(Em)   Do(C)
Camina pueblo de Dios,
Re⁷(D7)   Mi^m(Em)
camina pueblo de Dios.
Sol(G)   Mi^m(Em)
Nueva ley, nueva alianza
Do(C)   Si⁷(B7)
en la Nueva creación.
Mi^m(Em)   Do(C)
Camina pueblo de Dios,
Re⁷(D7)   Mi^m(Em)
camina pueblo de Dios.

Mi^m(Em)   Do(C)
1. Mira allá en el Calvario
Re(D)   Mi^m(Em)
en la roca hay una cruz,
Do(C)   Sol(G)
muerte que engendra la vida,
Do(C)   Si⁷(B7)
nuevos hombres, nueva luz.
Mi^m(Em)   Do(C)
Cristo nos ha salvado
Re(D)   Mi^m(Em)
con su muerte y resurrección.
Do(C)   Sol(G)
Todas las cosas renacen en la
Do(C)   Si⁷(B7)
Nueva creación. (CORO)

2. Cristo toma en su cuerpo
el pecado, la esclavitud,
al destruirlos no trae
una nueva plenitud.
Pone en paz a los hombres
a las cosas y al creador.
Todo renace a la vida
en la Nueva creación. (CORO)

3. Cielo y tierra se abrazan
nuestra alma me halla el
perdón.
Vuelven a abrirse los cielos
para el hombre pecador.
Israel peregrino
vive y cante tu redención.
Hay nuevos mundos abiertos
en la Nueva creación. (CORO)

©1966 Columbia Pictures Publications
Hialeah, FL 33014

SOLAMENTE EN CRISTO (3)
(Only In Christ)

Re(D)
Solamente en Cristo, solamente
La⁷(A7)
en El.
Re(D)
La salvación se encuentra en El.
Sol(G)
No hay otro nombre dado a los
Re(D)
hombres.
La⁷(A7)
Solamente en Cristo, solamente
Re(D)
en El.
Re(D)
2. Más allá de cielo, tenemos que ir,
Re(D)
Para morar en aquel país.

Sol(G)
Tan solo por Cristo tenemos la
Re(D)
entrada,
La⁷(A7)   Re(D)
De aquella morada, de aquel país.

ONLY IN JESUS
*Words: Bob Burleson, Bruce Burleson,
Mike Mirabela*

Only in Jesus, only in Him,
Salvation is found; forgiveness of sin.
No other Savior for woman and man,
Only in Jesus, only in Him.

©1986 Papa Mike's Music

La⁷(A7)

(Turn Your Eyes Upon Jesus)

Re(D)   La⁷(A7)   Re(D)Re⁷(D7)
Fija tus ojos en Cristo,

    Sol(G)   La⁷(A7)
Tan lleno de gracia y amor;

    Re(D)Re⁷(D7)   Sol(G)
Y lo terrenal sin valor será

    Re(D)   La⁷(A7)   Re(D)
a la luz del glorioso Señor.

> **TURN YOUR EYES**
> **UPON JESUS**
> *Words: Bob Burleson, Bruce Burleson,*
> *Mike Mirabella*
>
> Turn your eyes upon Jesus,
> So full of grace and love;
> And the wealth of this world
> Will mean nothing when held
> In the light of the glorious Lord.
>
> *©1986 Papa Mike's Music*

BELLAS PALABRAS DE VIDA (5)
(Beautiful Words of Life-Modified)

Sol(G)   Re⁷(D7)   Sol(G)
Bellas palabras de vida, son las de

        Re⁷(D7)
Cristo Jesús,

Ellas alientan el alma, dan

      Sol(G)
fortaleza y luz;

    Re⁷(D7)   Sol(G) Sol⁷(G7)
Bellas palabras de vida   dan

       Do(C)
salvación y poder,

Do(C)   Sol(G)
Bellas palabras que cambian la

      Re⁷(D7)
vida y llenan

      Sol(G)
de gozo el ser. (bis)

> **THE BEAUTIFUL WORDS**
> *Words: Bob Burleson, Bruce Burleson,*
> *Mike Mirabella*
>
> The beautiful words of Lord Jesus,
> Encourage the soul with His truth;
> The beautiful words of our Savior
> Are given for me and for you.
> The beautiful words of salvation
> Are filled with His power and might,
> Beautiful words that can change you forever
> And fill you with goodness and light. (Repeat)
>
> *©1986 Papa Mike's Music*

ALLÀ EN EL CIELO (2)
(Over There In Heaven)

Sol(G)
Allá en el cielo, allá en el cielo,

allá en el cielo,

no habrá mas llantó, ni más

          Re(D)Re7(D7)
tristeza, ni má dolor;

Y cuando estemos los redimidos

allá en el cielo,

        Sol(G)
alabaremos al Señor.

> **OVER THERE IN HEAVEN**
> *Words: Bob Burleson, Bruce Burleson,*
> *Mike Mirabella*
>
> When we're in heaven, when we're in heaven,
> When we're in heaven,
> There'll be no sadness nor tears of sorrow, nor
> any pain.
> When the redeemed are all together, there in
> heaven,
> We will praise the Lord, our King.
>
> *©1986 Papa Mike's Music*

NO HAY DIOS TAN GRANDE COMO TÚ (1)
(There is No God as Great as You)

Sol(G)
1. No hay Dios tan grande como Tú.
   Re⁷(D7)   Sol(G)
   No lo hay, no lo hay. (bis)
                    Do(C)
2. No hay Dios que iguale a las
   Sol(G)   Re⁷(D7)   Sol(G)
   obras como las que haces Tú;(bis)

   Sol(G)
3. No con espada, ni con ejército,
                    Re⁷(D7)   Sol(G)
   mas con tu Santo Espíritu; (bis)

          Do(C)   Sol(G)
4. Y esos montes se moverán, y esos
   Re⁷(D7)   Sol(G)
   montes se moverán.

          Do(C)   Sol(G)
   Y esos montes se moverán mas
          Re⁷(D7)   Sol(G)
   con tu Santo Espíritu.

THERE IS NO GOD AS GREAT AS YOU
Words: Bob Burleson, Bruce Burleson, Mike Mirabella

There's no God; no God as great as You,
Great as You, great as You. (Repeat)

There's no One to equal works You do,
You're the only God that's true. (Repeat)

Not with an army nor with a navy but
with the Holy Spirits' truth. (Repeat)

And all the mountains shall be shaken;
All the mountains shall be moved.
And all the mountains shall be shaken
By the Holy Spirits' truth.

©1986 Papa Mike's Music

CRISTO VICTORIA DA (2)
(Christ Gives His Victory)

Re(D)   La⁷(A7)
Cristo victoria da, sí la da,
Re(D)
sí la da;
                   La⁷(A7) Re(D)
Cristo victoria da, sí, sí,   sí..
   Re(D)   La⁷(A7)
El Diablo no triunfará, no podrá,
        Re(D)
no podrá,

El Diablo no triunfará,
La⁷(A7)   Re(D)
no, no, no.

CHRIST GIVES HIS VICTORY
Words: Bob Burleson, Bruce Burleson, Mike Mirabella

Christ gives His victory, yes; victory, yes,
Gives it best.
Christ gives His victory, yes, yes, yes.
The Devil will not triumph, no, he cannot,
Such a flop!
The Devil will not triumph, no, no, no.

©1986 Papa Mike's Music

POR ESTOS FAVORES
QUE TU NOS HA DADO (4)
(For These Blessings That You Have Given Us)

Sol(G)   Re(D) Sol(G) Re(D)
Por estos favores que   Tu

Sol(G) Do(C) Sol(G) Re(D)
nos   has   da----do

Mi^m(Em) Re(D) La(A)   Re(D)
Te da-------mos   las   gracias,

La^7(A7)Re(D)La^7(A7)Re(D) Re^7(D7)
¡Oh, buen Pad--re   Dios!

Sol(G)Re^7(D7)Sol(G)La^m(Am) Sol(G) Re(D)
De Tu   bue--na   ma-----no nos

Sol(G) Mi^m(Em)   La^m(Am) Re(D)
das   el   ali------mento;

Sol(G)Re(D) Sol(G)Re(D)Sol(G)
De Tí   es nues----tra vida, de Tí

Re(D) Sol(G) Re^7(D7)Sol(G) Re(D)
también sa-------lud;

Sol(G)Do(C)Sol(G)Re(D)Sol(G) Re(D) Do(C)
A Tí te   a----la----ba-----mos

Sol(G)   Re(D) Sol(G)
¡Oh, buen Padre Dios!

FOR ALL OF THESE BLESSINGS
Words: Bob Burleson, Bruce Burleson, Mike Mirabella

For all of these blessings, thank you, God,
Our Father; for life, love, for food and health,
We praise you, Oh, Lord.
Father in heaven, thank you for this morning(evening),
All praise to you, our Father,
All praise to you, our Father,
All praise to you, our Father; Glory to God.

©1986 Papa Mike's Music

ALZAD LA CRUZ (2)
(Lift High The Cross)
Música: Crucifer, Sydney Hugo Nicholson (1875-1912)

Estribillo:

Re(D)   Mi^m7(Em7)La^7(A7Re(D)
¡Alzad la Cruz   de   Cristo

Sol(G) La(A)La^7(A7)
el Salva--dor,

Re(D)   Mi^m7(Em7) Re(D) Sol(G)
y proclamad su   nombre

La^7(A7)Re(D)
en derre---dor!

Fa^#m(F#m)Si^7(B7) Mi^7(E7)La(A)
1. **Ve-------nid, u--ni------dos**

Re(D)   Do^#m(C#m)Fa^#m(F#m)
el pen-dón lle---------vad,

Si^m7(Bm7) Mi^7(E7) La(A)
el Hi----------jo de Dios es

Re(D)   Mi^7(E7) La(A) La^7(A7)
nues-tro Capi-------tan.

2. **Es el madero símbolo de paz, amor, fe, justicia y de libertad.**

3. **Todo creyente en el Redentor lleva en la frente el sello del perdón.**

4. **Por Jesucristo con fervor luchad, y El la victoria os concederá.**

LIFT HIGH THE CROSS

Refrain:
Lift high the cross, the love of Christ proclaim till all the world adore his sacred Name.

1. Led on their way by this triumphant sign, the hosts of God in conquering ranks combine.

2. Each new born servant of the Crucified bears on the brow the seal of him who died.

3. O Lord, once lifted on the glorious tree, as thou hast promised, draw the world to thee.

4. So shall our song of triumph ever be: praise to the Crucified for victory.

GUARDO EL LOBO (2)

(God Keeps the Wolf from the Lamb)
Villancico del siglo XV

CORO: La^m(Am)
Ríu, ríu, chíu, la guarda

ribera
                        Mi^m(Em)
Dios guardó el lobo de
                La^m(Am)
nuestra cordera.
                        Mi^m(Em)
Dios guardó el lobo de

nuestra cordera.
La^m(Am)   Mi^m(Em)

1.   El lobo rabioso la quiso
La^m(Am)
morder,

mas Dios poderoso la
     Mi^m(Em)   La^m(Am)
supo defender.

Quiso le hacer que no

pudiese pecar;

ni aún original esta
Mi^m(Em)   La^m(Am)
virgen no tuviera.
(CORO)

2.   Éste que es nacido es el
gran monarca;
Cristo patriarca de carne
vestido.
Ha nos redimido con se
hacer chiquito
que era infinito; finito se
hiciera.   (CORO)

3.   Éste viene a dar a los
muertos vida.
Y viene a reparar de todos
la caída.
Es la luz del día a que
este mozuelo;
Éste es el cordero que San
Juan dijera.   (CORO)

4.   Yo vi mil garzones que
andaban cantando
por aquí volando haciendo
mil sones.
Diciendo a garzones gloria
sea en el cielo
y paz en el suelo, pués,
Jesús naciera.   (CORO)

5.   Pués que ya tenemos lo
que deseamos,
Todos juntos vamos
presentes llevemos.
Todos le daremos nuestro
voluntad,
Pues, a se igualar con
nosotros viniera.
(CORO)

"Dios es nuestro amparo y fortaleza . . ."
Sal. 46:1

REUNIÓN INFORMATIVA

TENGA SU PROPIA COPIA

REUNIÓN BASICA acerca del Libro Lírico
(Sin melodía pero con acordes de guitarra)
Descuentos disponibles por cantidades.

EL LIBRO LIRICO ENCUADERNADO EN ESPIRAL
Cuesta un poco más pero es algo que cualquier guitarrista debe tener
y se puede tender abierto.

OTROS PRODUCTOS

CAMISETAS DE REUNIÓN
Las camisetas son de un increible y brillante color azul.
Tienen al frente y atrás el diseño especial de "REUNIÓN".
Medidas: chica, mediana, grande y extra-grande.
Quienes las vean le preguntarán, ¿dónde la obtuvo?

CALCOMANIAS DE PESCADO (410)
La calcomanía del pescado del cancionero, "REUNIÓN"
está ahora disponible como un atractivo adorno para su carro o para su
hogar. Los hay en color blanco y café, medida aproximada 2"x 5".

CALCOMANIAS DE PESCADO (411)
Esta calcomanía es igual a la primera, (410), solamente
que está al revés para poderse poner en la ventana.

CONFERENCIA

Esta será la más agradable conferencia que Vd. puede tener;
muy entusiasta y práctica. Cubre los siguientes tópicos:
1. Creando un ambiente para cantar.
2. Encontrando sus propias "cualidades" para hacer que
   esto sea posible y aprendiendo algo nuevo que Ud. puede llamar suyo.
3. Aprendiendo cantos.
4. Aprendiendo a organizar programas, liturgias, ritmos, Cursillos, etc.
5. Aprendiendo el tradicional y el nuevo estilo de guitarra.
6. Aprendiendo como ser director por más participación en la música.

PARA SER REALIZADO PRONTO

Cintas con canciones grabadas para enseñar los cánticos.
El canto básico, cantado en un estilo fácil de aprender.

PRODUCTOS FUTUROS
Libro Del Tono - incluye la línea de la melodía básica.

REUNIÓN INFORMATION

HAVE YOUR OWN COPY

BASIC REUNIÓN LYRIC BOOK (No-Notes with Chords)
Quantity Discounts Available

SPIRAL BOUND REUNIÓN LYRIC BOOK
Cost a little more, but a must for guitarists.
Lays flat.

OTHER PRODUCTS

REUNIÓN T-SHIRTS
Striking bold while design on an incredible blue.
You will be asked where you got your shirt!
Has basic REUNIÓN front and back logo.
Sizes: small, medium, large, extra large.

FISH STICKS (410)
The fish logo from the REUNIÓN songbook is now
available as an attractive sticker for car or home.
White logo on brown. Approx. 2" X 5".

FISH STICKS (411)
Reverse fish logo, same as above for window mounting.

WORKSHOP

The most ENJOYABLE workshop you'll ever attend.
Very lively and practical. Covers such topics as:
1. Creating a "right" environment for singing.
2. Finding out you own "tools" to make this happen
   and learning some new ones you can call your own.
3. Learning songs.
4. Learning to organize programs, liturgies, retreats, Cursillos, etc.
5. Learning both new and traditional guitar styles.
6. Learning to be a catalyst for music participation.

SOON TO BE RELEASED

Song teaching CASSETTE TAPES.
The basic song, sung in a learnable style.

FUTURE PRODUCTS
TUNE BOOK - includes the basic melody line.

A/TO: **REUNIÓN**
SONGS AND CREATIONS, INC.
P.O. Box 7
San Anselmo, CA 94960

Mándeme información de:
Send me information on:

☐ Libros/Books

☐ Diagramas de Acordes/Chord Charts

☐ Conferencias/Workshops

☐ Libro de Tono/Tunebook

☐ Cintas Grabadas/Cassette Tapes

Nombre/Name_____

Organizacion/Organization_____

Dirreccion/Address_____

Ciudad/City_____

Estado/State_____Sona Postal/Zip_____